몽선생이 전하는 유쾌발랄 베트남 현지 일상 에세이

당신이 몰랐던 진짜 베트남 이야기

글·그림 박지훈

베트남 현지에서 화제였던 〈사이공에 사는 박띠엔신〉, 한국에서 출간!

베트남 언론과 독자들 사이에서 인기를 끌었던 책
〈Park Tiên Sinh Sống Giữa Sài Gòn〉,
베트남 문화와 일상을 담은 유쾌 발랄 에세이로 재탄생하여
베트남에 대한 기존 편견을 깨고 독자들에게 새로운 관점을 보이다!

1군 람선광장

베트남어의 한글 표기에 관하여

이 책에 나오는 모든 베트남어의 한글표기는 국립국어원에서 공표한 '베트남어 한글표기법'을 따랐다. '빈타인(Bình Thạnh)', '빈즈엉(Bình Dương)' 등 남부와 북부의 발음이 다른 경우에도 베트남어 한글 표기법을 기준으로 삼았다. 하지만 '베트남(Việt Nam)', '사이공(Sài Gòn)', '벤탄 시장(Chợ Bến Thành)' 등과 같이 이미 익숙해진 표기는 관례에 따랐다. 한글로 표기하는 경우에는 가능한 베트남어 표기를 병기하여 이해를 돕도록 하였다.

몽선생이 전하는 유쾌발랄 베트남 현지 일상 에세이

당신이 몰랐던

 ## 진짜

베트남 이야기

글·그림 박지훈

차례

서문

이 책은 조금 특별한 운명을 타고 난 듯하다. 블로그를 통해 베트남 생활에 대한 글을 십년 넘게 쓰고, 2018년 이것을 바탕으로 한국에서 '몽선생의 서공잡기(西貢雜記)'를 출간했을 때, 이 책이 베트남에서 그것도 베트남어로 번역되어 나오리라고는 상상도 해보지 못했다. 물론 그 때문에 한국에서의 판권을 회수하였다가 다시 베트남어로 정리된 책의 내용으로 한국에서 출간되리라고는 더더욱 생각해 본 일이 없다. 그럼에도 이 모든 일이 이루어졌다. 그러니 이 책은 개정판이 아닌 복간판(復刊版)이라 해야 옳을 것이다.

하지만 이 책의 내용은 최초의 '몽선생의 서공잡기'와 완벽히 같지는 않다. 서공잡기를 읽어 보신 히엔(Hiền) 교수님의 제안으로 베트남어 번역판을 내게 되었을 때의 조건 때문이었다. 베트남 출판시장의 특성 상 외국인 작가는 베트남의 정치체제나 역사에 대해 직접적인 언급을 할 수가 없다. 그리고 첫 번째 책이 한국 사람으로 베트남에 관심을 두고 있는 이들을 대상으로 하고 있었다면 베트남어판은 당연히 베트남 사람들을 독자로 해야 했기 때문이다. 이런 연유로 베트남어판 서공잡기는 'Park Tiên Sinh Sống Giữa Sài Gòn'이란 이름으로 선을 보였다. '몽선생(夢先生)'은 편집부의 재치로 '박선생(Park Tiên Sinh)'이 되었다.

이 책이 제법 베트남 언론과 독자들 사이에서 인기를 끌었다. 그러다보니 묘한 현상이 일어났다. 원래의 책 '몽선생의 서공잡기'를 읽어 보고 싶다는 한국 분들의 요청이 들어왔다. 내게도 처음 냈던 책에 대한 애정이 있던지라 마음이 끌리던 차였다. 그런고로 한국어에서 베트남어로, 다시 베트남어를 한국어로 옮겨야 하는 기구한(?) 운명을 맞이한 셈이다. 그러니 처음의 서공잡기와 지금의 책이 다르다고 말할 수밖에.

그러나저러나 이 책에 대한 기대는 처음이나 지금이나 동일하다. 나는 이곳에서 외국인이다. 베트남은 내가 태어난 곳도 아니고 내 조상이 살던 곳도 아니다. 일을 통해 머물렀을 뿐이다. 그러나 머문 세월이 더해 갈수록 사람들에 대해 새로운 발견을 하게 되었고 이유를 알고 싶었다.

먼저 외국인은 이 땅에서 함께 살아가는 방법을 익혀야 한다. 그러려면 이곳의 사람들에 대해서 배워야 한다. 이 땅의 사람들에 대해 열린 마음을 가지는 것은 배움의 출발선이다. 그로부터 그들과 진정한 관계를 맺을 수 있게 되기 때문이다. 그러나 동시에 그들도 외국인이 베트남 사람들의 행동에 대해, 문화에 대해 어떻게 이해하는지 관심을 두어야 한다. 그것이 함께 살아가며 성장해 가는 사람들의 지혜이다.

그러므로 내게는 이 책을 통해 갖는 작은 기대가 있다. 나그네인 외국인도, 주인인 베트남 사람도 모두 '우리'가 되어 더불어 사는 방법에 대해 생각해 볼 기회를 갖는데 대한 기대이다. 그래서 이 작은 경험담들이 서로를 조금이라도 이해하게 하는 하나의 계기가 되기를 바란다. /夢先生

I

사이공, 낯선 도시 속에서

꽛티짱 광장 풍경

안경

베트남은 작은 나라가 아니다. 땅의 크기를 말하는 것이 아니다. 이 땅에는 많은 민족이 있고 다른 기후와 다른 자연환경이 펼쳐져 있다. 그것을 때로는 싸우고 때로는 포용하며 지금의 베트남을 이루었다. 오랜 세월 동안 그들은 자연과 더불어, 혹은 환경을 극복하며 지혜를 쌓아 왔다. 지금 우리가 겪고 보는 베트남 사람들의 삶은 이러한 모든 부분들이 쌓여 이루어져 있다. 이런 인식은 베트남에 첫발을 디디는 외국인들에게 매우 중요한 출발선이 된다.

베트남의 경제수도라 불리는 호찌민시, 사이공에 처음 오신 분들이 놀라는 것이 있다. 우선은 베트남이 상상하던 것과 다르다는 것이다. 평화로운 전원풍경을 예상하신 분들은 현대적인 도시의 모습에 놀란다. 공항을 빠져나오자마자 마주치는 거대한 오토바이의 물결에 놀란다. 그리고 며칠 머무는 동안 누리는 자유로움과 풍요함에 놀란다. 그리고 순식간에 여기가 베트남 사이공이라는 사실을 잊게 된다. 그때부터 착각과 오해가 진실인 듯 자리 잡는다. 보이는 것을 자기의 상식으로 재단하며 나름으로 인식하기 시작한다. 관광이나 짧은 출장으로 베트남에 오는 사람들이야 두 말할 나위 없다.

이미 많은 외국인들이 베트남에서 생활하고 있다. 이 도시의 한국인만도 팬데믹 이전에는 십 오만 명을 넘게 헤아렸다. 사람의 수가 많으니 사연도, 머문 기간도 다양하다. 지금 이 순간 공항에 첫발을 디디는 분도 있겠고 1992년 수교 이전부터 이 땅에 머물고 있는 분도 있다. 이렇게 다른 내력들이 있지만 하나의 공통된 점이 있다. 다들 자신이 경험한 만큼의 크기로만 이 땅을 이해한다는 것이다. 이곳에서 지낸 지 이틀이 되었건 이십 년이 되었건 자신이 보고 들은 만큼만 이해한다. 자기가 본 것을 해석할 수 있는 용량만큼만 납득한다. 사실 나도 이런 부분에 있어 자유롭다 할 수는 없다. 그럼 진짜 베트남을 보려면 어찌해야 할까?

나안(裸眼)으로 제대로 보이지 않을 때 우리는 안경을 통해 시각을 보정한다. 난시도 근시도 그렇게 해야 글을 바로 읽을 수 있다. 베트남 읽기도 마찬가지이다. 그래야 베트남이 제대로 보이고 베트남 사람들을 이해할 수 있게 된다. 그 안경의 이름은 열린 마음과 존중이다.

외국인들이 이 나라에 오면 먼저 이 안경을 품에서 꺼내 착용해야 한다. 그래야 자기가 살아온 경험과 해석에 의지하지 않고 겸손하게 왜곡되지 않은 시각을 가지고 이 매력적인 도시를 바라볼 수 있게 된다.

자, 안경을 쓰자. 이 사람들을 열린 마음으로 받아들일 준비가 되었는가? 그들을 당신이 살아온 나라와 비교하거나 폄하하지 않고, 그들의 역사와 경험을 존중하는 마음으로 대할 준비가 되어 있는가? 그렇다면 이제 함께 도시로 나가자. 예전에는 사이공이라 불렸고, 지금은 호찌민시라 불리는 이 도시의 내부로.

정말 잘 보이지?

사이공 또는 호찌민

사이공이 초행인 분들에게 제일 먼저 이런 질문을 건넨다.

"호찌민시를 아세요?"

대부분 끄덕인다. 당연하다. 호찌민행 비행기를 타고 오셨을 테니. 그럼 다시 묻는다.

"사이공은 어딘지 아세요?"

분명히 몇 분은 고개를 갸우뚱거린다. 어디서 들어봤는데 하는 표정들이다.

"베트남 남부도시 어디 아니에요?"

이렇게 물어볼 정도면 대단히 준수하다.

"예전 월남의 수도 아니에요?"

이런 분은 역사적인 지식도 있는 셈이다. 그런데 정확한 장소를 말하지는 못한다. 그래도 거의 정답에 가까워졌다.

그가 말하는 월남의 수도 사이공이 어디인가. 바로 그가 딛고 선 바로 이곳이다. 지금은 호찌민시라고 불리는 그 도시이다.

"여기가 바로 사이공이에요."

    '사이공(Sài Gòn)'이란 이름은 어디에서부터 시작되었을까? 그리고 어떻게 지금의 '호찌민시(Thành phố Hồ Chí Minh)'로 이름을 갈아입게 되었을까?

    사이공은 원래 베트남 땅이 아니었다. 오래전 사이공은 '프레이 노코르(Prey Nokor)'라고 불린 캄보디아의 항구도시였다. 캄보디아의 체타 2세(Chettha II)는 베트남의 찐(Trịnh) 씨와 응우옌(Nguyễn) 씨 가문의 전쟁인 '찐-응우옌 내전(Trịnh-Nguyễn phân tranh)'을 피해 내려온 베트남 난민들에게 이 지역에 정착을 허용하였는데 이주민의 수가 증가하면서 크메르인들을 압도할 정도로 세력이 강해졌고 그 반대로 캄보디아는 타이와의 전쟁으로 힘이 점차 약해지게 되었다. 그러다 보니 시간이 갈수록 왕국의 통치력이 약해지면서 자연스럽게 이 지역은 베트남에 동화되어갔다.

1698년 응우옌(Nguyễn) 왕조는 재상 응우옌흐우까인(Nguyễn Hữu Cảnh)을 파견한다. 그의 임무는 이 지역을 베트남 왕조의 행정구역으로 편입시키는 것이었다. 응우옌흐우까인은 탁월한 사람으로 임무를 성공적으로 완수한다. 그런 그의 업적을 기려 사이공에는 그의 이름을 따서 명명한 도로가 있다.

우리가 알고 있는 사이공이라는 이름은 1862년 프랑스에 의해 채택되었다고 알려졌다. 사이공의 어원은 분명하지 않다. 다만 오래전부터 그렇게 불렸다고 한다. 한자에서 왔다고 주장하는 사람들이 있지만 그렇지 않다. 한자로 쓰는 '서공(西貢)'은 '사이공'이라는 발음의 음차일 뿐이다. 그러니 서녘 '서(西)', 바칠 '공(貢)'으로 해석하여 중국을 중심으로 사이공이 서쪽에 있으니 서쪽에서 공역을 제공하던 도시가 아닐까 하는 추측은 근거가 없다. 그리고 실제로 서공이라 쓰기 이전에는 다른 한자로 표기했다.

이 도시의 어원을 찾아가려면 원래 이름인 프레이 노코르로부터 출발하는 것이 옳을 것이다. '프레이(Prey)'는 '숲', '노코르(Nokor)'는 왕국이나 도시를 일컫는다. 숲이 무성한 도시이겠다.

그러니 아마도 사이공은 울창한 숲, 또는 습지와 관련이 있는 의미의 말이었던 듯하다. 서공 이전에 한자로 '시곤(柴棍)'이라고 썼다고 하는 걸 보면 의미적으로 일맥상통하는 바가 있다. 시곤의 '시(柴)'는 '섶', '쪼갠 나무'의 뜻이 있고 '곤(棍)'은 '몽둥이' 또는 '묶다'라는 의미이다. 그런데 이 지역에 살던 화교들이 한자어로 표기할 때 시곤으로 쓰지 않고 자기들 발음에 더 가까운 서공이라고 표기를 했다 한다. 서공이 광동어로 'Sai-Gung'이라 발음되어 원래의 발음에 더 가깝기 때문이다.

프랑스는 1858년 베트남에 발을 들여놓은 후로부터 1954년 디엔비엔푸(Điện Biên Phủ) 전투에서 비엣민(Việt Minh)에게 패하여 쫓겨 갈 때까지 베트남을 식민지로 삼았다. 식민지배를 받던 사이공은 프랑스의 영향을 많이 받게 되고 '동아시아의 진주' 또는 '동양의 파리'라는 별명으로 불리게 되었다. 프랑스를 축출하고 승리한 비엣민은 새로운 정부로서 인정받지 못하였고 대신 바오다이(Bảo Đại)가 황제로 추대되었다. 바오다이 황제는 1954년 사이공을 수도로 삼았다. 이 과정에서 '쩌런(Chợ Lớn)' 지역이 사이공의 행정구역으로 통합되었다. 그때로부터 사이공은 베트남의 수도로서 세계사에 등장하게 된다. 북베트남과 남베트남으로 나뉘게 되었을 때 사이공은 남베트남인 베트남공화국의 수도역할을 하였다. 비엣민의 승리로 남과 북이 하나의 베트남으로 통일되자 사이

공은 수도로서의 역할을 내려놓는다. 그리고 이 도시의 문패에는
호찌민이라는 통일 영웅의 이름이 새롭게 걸렸다. 1975년의 일이다.

거리 이름에 담긴 역사

사이공에서 생활하려면 거리 이름을 익히는 것이 중요하다. 거리에 관한 지식이 늘어나면 단지 지리만 잘 알게 되는 것이 아니라 부수적인 효과가 있다. 베트남의 역사적 사건과 항쟁 영웅들의 이름을 자연스럽게 익히게 되는 것이다. 그래서 베트남에서 일을 시작하는 분들께 드리는 조언이 있다. 오토바이를 타 보라는 것이 그것이다. 오토바이를 운전함으로써 베트남 사람과 눈높이를 맞출 수 있게 될 뿐 아니라 길도 쉽게 익힐 수 있고 더불어 베트남의 역사와 문화에 관심을 갖게 된다.

하노이와 사이공을 비롯한 대도시들의 경우 거리 이름을 정할 때의 원칙이 있다. 역사·문화적으로 가치가 있거나 공헌도가 높은 이름을 택하고, 시민의 동의를 얻을 만한 친밀한 이름이어야 한다. 특별히 정치, 문화, 사회적으로 상징의 의미가 있어야 하며 문화유산법에 등재된 명승지나 외적의 침입에 맞서 싸운 독립 영웅, 현대의 인물일지라도 조국 건설과 베트남 역사·문화 발전에 혁혁하게 이바지한 사람의 이름을 거리 이름으로 택한다. 그래서 영웅이나 역사적 사건으로부터 따온 길 이름은 사이공에만 있지 않다. 수도인 하노이를 포함하여 큰 도시들은 이런 식으로 거리

이름을 짓게 되므로 도시 마다 같은 이름의 거리가 많다. 하노이에도 하이바쯩 거리가 있고 사이공에도 하이바쯩 거리가 있다. 그런 이름들의 거리를 발견하고 그가 누구였는지를 알아보는 것도 이 도시를 알아가는 재미가 된다.

이제 거리를 나설 때마다 길의 이름을 살펴보자. 다시 말하지만 길을 알면 베트남의 역사가 보인다.

걸을 수 없는 거리

나는 걷는 것을 아주 좋아한다. 삼십 분 내외의 거리라면 걷는 쪽을 택한다. 하지만 사이공에서는 그것이 쉽지 않다. 더위도 더위이지만 걷고자 하는 발목을 잡는 것들이 여럿 있기 때문이다. 사실 걷는 것이 어렵다는 것은 말이 되지 않는다. 인도를 따라가면 되는 거다… 라고 생각한다면 사이공에서 걸어 본 일이 없는 사람이다. 더위는 잊고 함께 거리로 나서 보자.

불과 3분이 지나면 왜 걸을 수 없는가를 알게 된다. 순조로운 걸음을 방해하는 것이 너무 많다. 일일이 설명할 수 없을 정도이다. 그리고 방해를 넘어 위협하는 것도 있다. 이 상태로 4분 째에 들어서면 짜증이 나기 시작한다. 5분이 지나면 녹초가 되어 아무 생각 없이 차도와 보도를 계속 바꿔가며 오르락내리락 걷고 있는 자신을 발견한다.

그러고 보면 사이공에서 사는 동안 보도를 편하게 걸어 본 일이 없다. 물론 푸미흥이나 시내 중심부의 관광지역은 나름 정비가 잘 되어 있는 편이다. 하지만 그 외의 통행로는 걷는 행위를 몹시 힘들고 불편하며 종래는 짜증스럽게 만든다. 그렇게 만드는 첫 번째 원인은 보도의 상태이다. 그래도 그건 이해할 만하다. 한창 개발이 진행되는 개발국가에서는 그것이 현재 나아지고 있는 상태의 반증으로 볼 수 있기 때문이다. 그 다음은 가판대이다. 가게 앞으로 내밀어져 세워진 가판대는 걸음을 멈추게 한다. 쌔옴 아저씨도 우리의 걸음을 멈추게 한다. 손님을 기다리는 쌔옴 아저씨는 보도 위에 오토바이를 세워 두고 그 위에 누워있다. 그래도 그건 피해 갈 만하다. 한 대이니까. 카페 앞 보도는 아예 오토바이 주차장이다. 여기서부터는 보도에서 내려갈 수밖에 없다.

저녁 퇴근 무렵이 되면 더 난처해진다. 도로가 차와 오토바이로 가득 차 있으니 성질 급한 오토바이들은 즉시 인도로 올라탄다. 안전을 위협받음은 두말할 나위 없다. 그런데 이렇게 보도를 자기 길 같이 달리던 오토바이도 차도로 다시 끙끙거리며 내려가야 하는 경우가 있다. 바로 식당 앞이다. 저녁에 문을 여는 식당은 인도를 아예 자기 가게의 야외 마당으로 바꿔 버린다. 사람 지나갈 틈도 주지 않은 채 식탁과 의자를 배치한다. 길을 걷다가 이런 경우를 만나면 갑자기 남의 마당을 무단으로 침범한 듯 미안한 마음에 차도로 내려서야 한다. 도대체 언제쯤이면 인도가 공공에게 돌려질까.

어느 누군가의 글에서 읽은 기억이 있다. 베트남 사람들이 공공의 공간을 사적으로 점유하는 행동은 공간의 용도를 혼동해서가 아니라 베트남 사람 특유의 경계가 불분명한 삶의 태도 때문에 그렇다고 했다. 잠옷과 외출복의 경계가 희미하고, 대문 앞 인도도 자기 집 앞마당의 연장으로 만들 정도로 영역의 경계가 희미하고, 남의 가게 앞에서 좌판을 벌이는 것이 이상스럽지 않게 여겨질 만큼 경계를 상황에 따라 이용하는 유연함이 있어 이러한 상황을 만들게 된다고. 그래서 편의성을 유연함으로 삼아 남의 공간도 내 공간이 될 수가 있는 것이라고. 그것이 옳든 아니든 우리 한국인 직원 한 사람은 사이공에서는 인도를 걷는 것이 아니라 올라갔다 내려갔다 등반하는 것이라고 표현했는데 그것만큼은 확실히 맞는 말이다. 사이공에서 거리를 걷는 일은 정말 힘들다.

사이공 사람의 발, 오토바이

사이공에 도착한 외국 사람들이 가장 먼저 놀라게 되는 것은 도로 위에 버글거리는 오토바이의 행렬 때문이다. 물론 동남아의 다른 도시들에서도 오토바이를 어렵지 않게 볼 수 있지만 베트남에서의 오토바이 행렬은 사뭇 느낌이 다르다. 아마도 한 시간만 큰 거리의 카페에 앉아 창밖을 내다보고 있으면 평생 한국에서 볼 수 있는 오토바이보다 많은 수의 오토바이를 볼 수 있을 것이다. 그러면서 동시에 느낌이 다르다는 것이 뭔지 말하지 않아도 통하게 된다.

틈도 없이 거리에 빼곡히 들어서 이동하는 오토바이의 행렬을 보노라면 신기하다 못해 두렵다. 어디서 이 많은 사람들이 나왔을까? 도대체 모두 어디로 가고 있는 것일까? 출처를 알 수 없는 의문이 뇌세포 사이를 정신없이 돌아다닌다. 그런데 신호등이 켜지면 일제히 멈춘다. 그런 오토바이를 바라보고 있으면 잠시의 정적 속에 팽팽한 긴장감을 가지고 출발을 대기하고 있는 경주마들의 그것 같이 느껴지기도 한다.

오토바이 행렬 속에 묻혀 차를 타고 출퇴근을 하다 보면 차창으로 달라붙는 오토바이를 만날 수 있다. 아주 특이한 경험이다. 사실 도심이나 큰 도로에서 마주치는 오토바이 무리는 겪어보지 않고는 그 느낌을 이해하기 어렵다. 때로는 농작물에 달라붙는 메뚜기 떼를 연상하게도 하고 때로는 강에 빠진 동물에 달려드는 피라냐 떼를 상상하게도 한다. 무섭기 때문에 그렇다. 특히 우회전시 우측차선을 점유하고 있는 오토바이는 매우 위험천만이다. 그들은 차가 우회전을 시도하고 있음에도 그 앞으로 직진하기를 멈추지 않는다. 이때의 경험 때문에 나는 사이공에서 승용차 운전을 포기했을 정도이다.

어렸을 때부터 오토바이에 친숙한 이곳 사람들에게 한 대의 오토바이에 부부와 아이가 함께 타는 것은 일상이다. 심지어는 일가족 네 명이 동승하기도 한다. 그런데 어른들은 헬멧을 쓰면서 아이들은 보호장구가 없다. 베트남에서는 2007년말 오토바이 운전자들의 헬멧 착용을 의무화했는데 어린아이들은 이 의무조항의 적용을 받지 않는다. 사고가 어린이는 피해 가는지 알다가도 모를 일이다.

사이공 사람들에게 오토바이는 생활필수품이 될 수밖에 없다. 걸을 수 있는 보도의 사정도 좋지 않거니와 날씨가 무덥다 보니 잘 걷지 않는다. 지금은 좀 나아졌지만 여전히 대중교통수단이 부족하고 시설이 열악해 달리 대체할 만한 이동수단이 아직 없기에 그렇다. 그러니 오토바이가 그들의 '발'이 될 수밖에 없다. 게다가 오토바이가 가진 고유의 기동성과 편의성을 경험하게 되고 나면

밖에 나갈 일만 생기면 저도 모르게 오토바이로 손이 가게 되어있다. 그래서 우리끼리 우스갯소리로 '사이공 사람은 3보 도보 거리면 오토바이를 탄다'고 말한다.

사이공 사람들에게 오토바이는 그냥 '혼다(Honda)'였다. 오토바이가 처음 모습을 드러낸 것이 베트남전쟁 때였는데 그것이 일제 혼다였다. 혼다는 당시 30여 년간 독점권을 갖고 있었는데 그 영향으로 사이공 사람들은 '오토바이'를 '혼다'라고 고유명사처럼 불렀다. 그런 탓인지 지금도 일제 혼다가 가장 선호되는 브랜드로 시장을 점유하고 있고, 그 뒤를 같은 일제인 야마하, 스즈키 등이 따르고 있다. 대만에서 투자한 SYM도 사이공 사람들이 많이 찾는 브랜드이다. 멋쟁이들은 이탈리아 브랜드인 베스파를 타는데 가격이 비싸다. 이제는 중국에서 생산한 저가 오토바이로 인해서 거의 모든 사람이 자기 오토바이를 가지게 되었지만 중국산은 문제가 많아 가능하면 피하고 싶다는 것이 여기 사람들의 생각이다. 그런데 사실 오토바이 가격이 만만치 않다. 베트남의 일인당 국민소득과 오토바이 가격을 비교해 보면 쉽게 알 수 있다. 도대체 이들의 이해되지 않는 구매력은 어디에서 나오는 것인지.

지금도 베트남은 전 세계에서 일인당 오토바이 보급률이 가장 높은 나라이다. 그런데 매년 상승하던 수요가 최근 들어 정체되기 시작했다. 대신 승용차의 증가세가 예사롭지 않다. 그래도 사이공을 처음 방문하시는 외국인들이 겪을 오토바이로 인한 '문화충격(Cultural shock)'은 당분간 사라지지 않을 듯하다.

빵빵거리는 도로

사이공의 도로는 무척 시끄럽다. 기본적으로 오토바이와 차량이 내는 소음도 시끄러운데 여기에 경적소리가 더해지면 무더운 날 정체된 도로 위에 있다는 것 자체로도 충분히 짜증 꽃이 만개할 일이다. 뻥 뚫린 도로에서 질주본능을 발산하겠노라 하며 '앞에 가는 형님, 오토바이 좀 치워 주쇼' 하는 의미로 경적을 울려대는 건 그래도 이해할 만하다. 출퇴근 길에, 그렇지 않아도 복잡한 도로에서 이 남자가 빵, 저 여자가 빵빵거리면 성질 급한 한국 사람으로서 뒤를 돌아보고 한번 째리지 않고는 배길 수 없게 된다. 그런데 막상 '네가 감히 도전이냐' 하는 표정으로 뒤를 한번 훑어보면 신경 쓰는 이 하나 없고 오히려 이상한 듯 쳐다보고 무심히 지나가는 이들로 인해 맥이 빠지는 곳이 바로 이곳이다. 그러니 사이공에서 인내는 미덕일 수밖에 없다. 그렇지 않게 되면 공연히 힘을 준 눈자위만 종일 아파올 것이니까.

사이공 오토바이 운전자의 경적은 '진행을 위한 알림'의 의미가 강하다. 앞 운전자에게 내 위치를 알리는 것이 가장 큰 목적이다. 사이공의 길은 일방통행이 많고 협소하여 차선을 바꾸거나 혹은 추월하거나 좌회전을 해야 할 때 특별히 주의를 기울여야 한다. 직진 신호에서 동시에 좌회전을 허락하기 때문이다. 차선이 없는 도로나 신호등이 없는 로터리에서는 말할 나위 없다. 이럴 때 경적을 울리는 것은 서로 신호를 주고받으면서 진행의 순서를 정하고 위험을 사전에 방지하는 데 도움이 된다. 곧은 도로에서도 마찬가지이다. 누군가가 뒤에서 경적을 울릴 때는 당황하지 말고 내 차선만 지키면 된다. 뒤 운전자가 알아서 스스로 길을 판단해 갈 것이다. 그러므로 이럴 때의 신호는 '비켜 줘'가 아니고 '내가 비켜 갈 테니 그대로 가'인 셈이다. 그러므로 사이공 사람들의 경적 문화를 도전으로 이해할 필요는 없다. 오토바이를 몰고 세 달만 지나보면 당신이 어느 나라에서 왔던지 간에 당신도 그렇게 경적을 울려대고 있을 테니까.

도로 횡단 수칙

사이공은 내게 도로를 건넌다는 일이 얼마나 어려운 일인지 가르쳐 준 곳이다. 처음 이 도시에 와서 벤탄 시장 로터리를 건널 때, 도무지 횡단보도는 눈에 안 들어오고, 교통신호도 찾을 수 없는 속에서, 밀려들어오는 오토바이 물결 사이로 떠밀리듯 흘러간 기억은 그것 자체로 공포였다. 뿐 만인가? 인도로 얌전히 걸어가는 내 등 뒤에서 경적을 울리며 길을 피하라 위협하던 오토바이에 놀란 가슴을 쓸어내리던 기억이 지금도 선하다.

여기서 인도는 그저 또 다른 하나의 차도일 뿐이다. 그러나 시간이 흘러 지금은 상황이 달라졌다 한다면 로터리를 빙빙 돌던 그 오토바이 무리에 나도 끼어 경적을 울려대고 있다는 정도일까? 피해자에서 가해자가 되었다고 한다면 지나친 비약이고, 이건 그저 베트남 사람들의 감각을 나도 공유하게 되었다 하는 정도로 정리하는 게 좋겠다.

이들의 도로에는 '나름의' 규칙이 있다. 일반적으로 통용되는 교통수칙, 이른바 신호등에 빨간불이 켜지면 서고 녹색불이 켜지면 진행한다든지, 차량은 역주행을 하면 안 된다든지, 아니면 보행자가 길을 건널 때는 반드시 횡단보도로 건너라 같은 것들이 잘 지켜지면야 문제가 아니겠지만 여기는 사이공 아닌가!

　물론 여기도 '나름의' 고충은 있다. 시내 도로에 일방통행이 많아 길을 제대로 알지 않는 한 실수하기 십상이기도 하거니와, 사이공 사람들에게 오토바이란 발과 같은 것이어서 신호등이 있다 하나 기다리는 일이 퍽이나 지루하게 만드는 모양이다. 그래서 틈만 나면 신호가 떨어지기 전에 튀어 나가고, 끼어들고, 가로지르고, 역주행한다. 위험천만이다. 그래도 요즘은 교통질서 지키기 캠페인도 하고 교통경찰이 단속도 하여 이런 일이 많이 줄어들기는 했으나 쉽게 고쳐지지는 않을 것 같다. 해보면 편하니까.

　오토바이 운전자들에게는 그들만의 '감(感)'이 있다. 그것이 그들의 신호 없는 신호인 셈이어서 때때로 교통신호보다 우선적으로 적용된다. 그 '감'의 존재를 가장 잘 느낄 수 있는 곳이 시내 중심의 로터리이다. 사이공의 로터리에는 신호등이 없다. 그러므로 '감'의 존재는 절대적이다. 벤탄 시장 앞, 또는 디엔비엔푸, 깍망탕땀과 같이 큰길에 연결된 대형 로터리를 러시아워에 통과한 후에는 사이공의 자율 교통순환시스템을 경험했다 자랑해도 지나치지 않다. 온몸이 땀에 젖음과 동시에 성취감의 전율을 맛보는 것은 비단 스포츠게임에서 승리했을 때만이 아니라는 것을 알게 된다.

　그러나 아무리 그럴싸한 이유를 든다 해도 위험한 것은 사실이다. 특히 이러한 질서는 보행자에게 절대적으로 불리하다. 따라서 보행자도 오토바이 운전자와 같은 '보행의 감'을 체득해야 한다. 방법은 간단하다. 도로를 건널 때 절대 뛰면 안 된다는 것이 그 것이다. 마주 오는 오토바이들과 눈을 맞추며 미끄러지듯 천천히 걸어야 한다. 손을 든다면 더욱 좋다. 초등학생 같아 창피하다 할지 모르지만 한번 건너보면 시키지 않아도 손을 들게 된다. 그 다음은 오토바이 운전자에게 달려 있다. 그들이 보행자의 존재와 진행 방향을 확인하고 알아서 피해 준다. 보행자가 갑자기 방향을 바꾸거나 뛴다면 오토바이는 대처할 시간을 잃게 되니 사고가 날 확률이 높다.

사이공의 모든 보행자와 운전자가 교통신호에 의한 규칙을 지키기 전까지 우리의 안전은 우리가 지키는 수밖에 다른 방법이 없다. 로마에선 로마법을 따라야 함이 자고의 진리이다.

째옴 체험

사이공 시내를 걷다 보면 오토바이를 세워놓고 안장에 걸터앉거나 누운 채 시간을 죽이는 아저씨들을 쉽게 목격할 수 있다. 이들을 '째옴(Xe ôm)'이라고 부른다. 외국인들이 보는 베트남 여행정보지에는 '영업용 오토바이', 그럴싸하게는 '오토바이 택시'라고도 소개된다. '째(Xe)'는 '오토바이'를 일컫고 '옴(ôm)'은 '끌어안는다'는 의미이니 '끌어안고 타는 오토바이'가 째옴이라 하겠다. 해석해보면 낭만적인 이름인데 실제와는 거리가 멀다. 누구라도 째옴을 타면서 그 아저씨들과 'ôm' 할 생각이 들지 않기 때문이다.

처음 사이공에서 입국해 머문 곳은 투자주인 은행이 소유한 응우옌반쪼이(Nguyễn Văn Trỗi) 대로변에 있는 게스트하우스였다. 거기서 시 중심까지 택시로 25,000동 정도 나오는데 거리가 그리 멀지 않아 아깝다는 생각이 들던 차였다. 매일같이 은행 앞에 서 있던 오토바이 기사를 눈여겨보며 한번은 저걸 타보리라 하다가 드디어 시도를 하게 되었다.

당시 내가 가지고 있는 문제는 두 가지였는데 하나는 베트남 말을 하지 못한다는 것과 지금껏 오토바이는 타 본 일이 없다는 것이었다. 여하튼 용기를 내어 벤탄 시장에 가자 했는데 워낙 유명한 장소인지라 내 불확실한 성조와 발음에 관계없이 금방 알아듣고 타라 한다. 아, 그 불안했던 안장의 첫 감촉. 어디에 손을 두어야 할지 타자마자 고민을 하게 하는 이 영업용 오토바이. 기사 양반을 보면 잡을 수도 없고, 그렇다고 안 잡고는 불안하고, 결국 좌석 뒷부분을 움켜쥐고 엉거주춤한 폼으로 시내로 "달려!"를 외쳤다.

시내까지가 이렇게 멀었던가, 안장을 쥔 팔뚝엔 일찍부터 힘이 지나치게 들어가 저려오는데 옆으로 스치는 오토바이들은 대체 왜 그리 가까이 달라붙는지. 거기다 이 기사양반, 천천히 가도 되는데 내가 한국 사람임을 알아봐서 그러는지 빨리빨리 달리려고 요리조리 다른 오토바이와 승용차 사이를 피해 다닌다. 1분도 안 돼서 바짝 조인 괄약근엔 통증이 오고 긴장된 무릎 아래로는 감각이 사라진다.

벤탄 시장에 도착해서 내리는데 등판이 땀으로 흠씬 젖었다. 가랑이가 아리다. 그래도 아무렇지도 않은 척 버티고 내려서 계산을 했다. 이 아저씨, 두 손가락을 편다. 2만 동 달라는 거겠지. 웃긴다. "택시로도 25,000동인데 몸 상하면서 여기까지 와서 그 돈을 내놓으라고? 천만의 말씀이다! 그렇잖아도 게스트하우스 나오기 전 가격을 알아봤다!" 라고 하고 싶지만 베트남어를 몰라 침묵. 흥정 필요 없이 지갑에서 15,000동을 꺼내 쥐어주었다. 쌔옴 기사, 나를 멍하게 올려다본다. 아무리 오토바이에 초보였어도 최소한 이때는 내가 프로다. '씨익' 한번 웃어주고 등 한번 툭툭 두드려 주며 '바이바이' 한다. 부들부들 다리가 떨렸던 증세는 이후로 한두 번 경험 뒤 사라졌다. 사람이 얼마나 환경에 적응을 잘하는지 지금은 쌔옴 뒤에 앉아서 두 손 놓고 졸면서 다닌다.

쌔옴 기사는 어디서나 발견하기 쉽다. 구별도 어렵지 않다. 그러나 그것이 쉽지 않은 장소도 있다. 마트와 학교 앞이다. 쇼핑하는 아주머니를 기다리는 가여운 바깥양반이나 쌔옴 기사나 모양새가 거기서 거기인 경우가 종종 있다.

실수를 막기 위해 쌔옴 기사를 한눈에 알아보는 감별법을 소개한다. 첫째, 몹시 한가해 보인다. 마나님을 기다리는 아저씨들은 언제 마나님이 나올까 살피느라 초조하다. 둘째, 구형 오토바이에 아~주 편안한 자세로 걸터앉아 있다. 셋째, 헬멧을 2개 가지고 있다. 이 정도로도 구분이 안 간다고? 그럴 때는 비장의 방법이 있다. 바로 눈을 마주치는 것이다. 이때 그가 당신을 향해 손을 번쩍 들었다면 100% 쌔옴 기사이다. 그런데 이런 모습도 과거의 장면이 되어 가고 있다. 요즘은 그랩(Grab) 서비스와 같이 앱(App)을 통해 미리 운전자를 알고 가격을 정하고 타기 때문에 흥정의 필요가 없다. 이들은 유니폼을 입고 있어 구별하기도 수월하다. 그러다 보니 기존 쌔옴 기사들도 생존을 위해 이런 서비스 업체로 빠르게 옮겨가고 있다.

그런데 한 쌍의 남녀가 같이 탄 오토바이가 쌔옴인지 여부를 어떻게 구별할까? 아주 쉽다. 그녀의 손 위치가 안장 위에 있거나 둘 사이에 가방 같은 이물질이 끼어들어 있다면 그것은 십중팔구 쌔옴이다. 연인의 손은 상대의 체온을 찾기에 바쁜 법이다.

사이공은 안전한 도시인가요?

관광이든 출장이든 다른 나라, 다른 도시에 머물 때는 그곳이 외국인에게도 안전한지 궁금한 것이 당연하다. 그에 따라 활동의 폭이 정해질 수도 있고 얼마나 다른 사람의 신세를 져야 하는 지도 가늠이 되기 때문이다. 안전한 국가는 대체로 공권력이 강한데 베트남도 그러하다. 베트남은 인근 국가들에 비해 상대적으로 좋은 치안상태를 유지하고 있다. 사이공의 경우에는 여성 혼자 밤에 다녀도 큰 문제가 없다. 물론 그렇게 하라는 얘기는 절대 아니다.

베트남은 기본적으로 범죄에 대한 처벌 형량이 무겁다. 따라서 민간에서 대형 흉악범죄의 발생률은 극히 낮다. 사형제도도 존재하는데 마약 거래의 경우는 대부분 사형이 선고된다. 그런데 경제성장으로 일반 국민의 생활수준이 향상됨과 더불어 강도, 절도, 소매치기 등 각종 범죄 발생률이 늘어나는 추세이다. 게다가 일자리를 찾아 대도시로의 인구 유입이 늘어나면서 생활형 범죄가 날이 갈수록 심해지는 형상이다. 그러니 아무리 안전하다 해도 조심해야 하는 것이 당연하다.

거리에서 외국인이 주의해야 할 대표적인 경우 세 가지를 소개한다. 첫째, 오토바이 날치기이다. 아마도 제일 많이 일어나는 범죄일 것이다. 2인 1조로 오토바이로 접근해 보행자의 핸드폰, 지갑, 가방 등을 뒤에서 채어가는 식이다. 그래서 길을 다닐 때는 가방을 손에 쥐거나 끈 가방이라면 엇걸어 매는 것이 안전하다. 길에서 핸드폰을 사용하는 것을 피하고 만일 부득이한 경우라면 반드시 거리가 아닌 건물 쪽을 향해 들고 통화하도록 해야 한다.

둘째, 소매치기이다. 특히 남성의 경우에는 베트남 여성이 접근하여 이야기를 걸면서 시선을 분산시킨 후 뒤에서 다른 사람이 접근하여 호주머니에 있는 지갑, 핸드폰을 훔쳐간다. 또 다른 경우에는 여성이 접근, 남성의 주요 부위를 순간적으로 꽉 잡아 통증을 준 후 뒷주머니의 지갑을 빼가는 경우도 있다. 들리는 말에 의하면 그런 짓을 하는 것은 여장남자라고 한다. 그러므로 지갑은 뒷주머니에 넣지 말고 폼이 안 나더라도 바지 앞주머니 또는 상의 포켓에 넣어두도록 해야 한다. 또 모르는 여성이 접근해 말을 걸어오면 정신줄 놓고 좋아하지 말고 긴장하고 가능하면 피해야 한다. 좋아하다 눈물 흘린다.

셋째, 사기이다. 이것은 베트남인뿐 아니라 서양인들이 그럴 수도 있다. 비근한 예로는 한국 사람이냐고 묻고 자기도 한국을 안다고 친근함을 표시하고는 한국 돈을 보고 싶다고 한 후 귀신같이 빼가는 것이 하나의 예이다. 다른 예는 포커 좋아하냐고 물으면서 접근한 후 포커게임에 참여시켜 게임을 통해 돈을 털어가는 방법도 있다. 아이이고 어른이고 게임을 너무 좋아하면 망한다.

 사이공에서 즐거운 추억을 가지려면 생활 중에 불미스러운 일이 없어야 한다. 그러려면 예방이 최선이다. 외국에서 다닐 때는 용감하기보다 신중한 것이 좋은 법이다.

외국에서의 안전은
우리가 먼저 챙겨야죠,

강의 도시

베트남에는 물이 풍부하다. 호수도 많고 강도 많다. 여기저기 하천이 있다. 나라 역시 길게 바다에 면해 있다 보니 해안선의 길이가 3,444km나 된다. 물은 어디서나 넘쳐난다. 베트남의 전통 인형극도 물 위에서 상영한다. 땅에 물이 많으니 물과 더불어 사는 모습에도 친숙하다. 그러고 보니 베트남어로 나라를 '느억(Nước)'이라고 하는데 물을 지칭하는 단어도 '느억'인 것을 보면 무언가 연관성이 있는 듯하다. 그러니 베트남을 가리켜 물의 나라라고 부르는 것도 지나치지는 않겠다. 그런데 같은 나라라 할지라도 하노이의 물과 사이공의 물은 다른 느낌을 준다. 하노이의 물이 공간 안에 담겨 있다면 사이공의 물은 선형으로 평면적으로 흐른다. 그래서 하노이를 호수의 도시라 한다면 사이공은 강의 도시라 부를 만하다.

비행기 안에서 사이공을 내려다보면 정말 강과 천(川)들이 많다. 원래 이 땅이 습지였던 때문인지 구비구비 흐르는 강물과 가늘게 실처럼 퍼져 있는 강의 지류들이 푸르른 초목들과 더불어 땅의 형상을 이루고 있음을 쉽게 알게 된다. 사이공의 비옥함은 저 물들로부터 오는 것일 게다. 이 물들은 오랫동안 여러 역할을 담당했다. 땅을 기름지게도 하지만 길이 되어 사람들이 옮겨가게도 하고 남부 메콩델타 지역의 풍성한 과일과 곡물들이 도시로 이동되게끔 돕기도 한다.

하지만 건설공사를 하는 사람들에게 사이공은 반갑지 않은 곳이다. 지반이 연약한 데다 조금만 깊이 파 들어가도 물이 차는 땅이기 때문에 공사에 힘이 든다. 사이공의 대다수 건물이 지하를 깊이 파지 않는 이유가 여기에 있다. 땅에 물이 많으니 열대성 호우가 쏟아질 때면 도로가 물에 잠기는 일이 다반사이다. 강이나 하천에 면한 곳은 정도가 심해서 도로를 채운 물에 승용차가 잠긴 모습을 목격하기도 한다.

강의 도시 사이공을 대표하는 물줄기는 물으나 마나 '사이공 강 (Sông Sài Gòn)'이다. 사이공 강의 길이는 225km로써 캄보디아의 남동쪽에서 발원하여 베트남 남부를 거쳐 남중국해로 흘러 들어간다. 사이공 강은 수심이 깊어 예로부터 많은 배가 드나드는 항구가 있었는데 유명했던 항구 냐롱(Nhà Rồng)이 오늘날의 사이공 항구(Cảng Sài Gòn)이다.

지금도 컨테이너 선박을 비롯한 각종 크루즈 선들이 사이공 강을 따라 운행된다. 한국 순양함이 사이공 항구에 정박하여 교민들과 행사를 할 수 있는 것도 이 도시가 강의 도시이기에 가능한 일이다.

전선(電線)의 미학

사이공 시내에서 공중에 엉클어져 늘어진 전선을 보는 것은 어려운 일이 아니다. 지금은 중요한 대로(大路)들에서 지중화 작업을 하고 있어 그래도 많이 사라졌지만 큰길만 살짝 벗어나면 여전히 많은 전선이 공중에 큰 다발로 묶여 늘어져 있다. 길을 걸을 때는 이런 전선이 위협 요소 중의 하나가 된다. 다발의 무게를 견디다 못해 눈높이까지 내려온 전선 가닥들은 아무 생각 없이 길을 걷던 사람들을 흠칫 놀라게 만든다. 보기 싫은 것은 둘째이고 위험천만한 일이다.

그런데 그 전선 다발들이 디자인 속으로 들어왔다. 사이공의 도시 이미지 중 하나가 되어 의류 등에 프린트되어 판매된다. 어지러운 모습만큼이나 도시 이미지를 해치고 있던 전선들이 새로운 미학으로 선보여지는 셈이다. 나도 전선의 모습이 프린트된 셔츠를 하나 가지고 있다.

사이공에서 가장 부지런히 벌어지는 일의 하나가 도로의 전선을 지중화하는 사업이다. 호찌민시 전력회사에서 2011년부터 전선의 지중화를 실시하고 있으니 더디기는 해도 머지않아 사이공의 공중을 달리던 그 많던 전선 다발들을 추억할 일도 멀지 않은 듯하다.

당번비 거리 4번 길의 늘어진 전선

칼집

사이공의 일반주택 형태는 처음 본 한국 사람들에게 낯설다. 좁은 폭의 건물들이 가로를 면해 책장에 꽂힌 책들처럼 세워진 형상이다. 집과 집은 유럽의 타운하우스같이 서로 벽을 대하고 있다. 그런데 유럽과 같은 통일성은 없고 집들이 서로의 개성을 가지고 있어서 아름답다기보다는 혼란하다는 느낌이 더 강하다. 물론 이런 형태의 주거는 사이공에만 있는 것이 아니다. 하노이를 비롯한 대도시 주거의 일반적인 형식이다. 이런 주거형태 외에도 '빌라'라 하여 둘레에 마당을 가진 큰 고급 주거도 있고 새로운 주거형식으로 정착되고 있는 아파트도 있지만 여전히 일반주거의 중심은 이런 주택이다. 이 낯선 형식의 주거를 우리는 '칼집'이라고 부른다.

칼집은 3~4층의 규모로 거리에 대해서는 단변으로 3.5~4m를 접하고, 이웃집과 접하는 장변으로는 18~20m를 접하는 직사각 형태가 일반적이다. 처음 이 택지의 형상과 그 위에 지어진 집의 구조를 보고 통일 후 일률적인 토지분배에서 발생한 형태인가 의문을 가졌는데 알고 보니 19세기 말 프랑스 식민통치자들에 의해 적용된 도시계획의 산물이라고 한다.

칼집의 형태가 좁고 긴 형태로 계단을 오르내려야 하기 때문에 불편하다고 여겨지겠지만 생각보다 여러 장점이 있다. 한 층에 계단실로 구분되는 두 개의 방이 생기니 1층은 주방 겸 거실로 활용하고, 2층은 조부모실, 3층은 부모 방, 4층 아이들 공간으로 나누어 3대가 함께 살 수 있다. 이는 전통적인 베트남의 가족문화 '바테헤(ba thế hệ)'에 어울리는 주거형태이기도 하면서 동시에 층마다 생활공간이 분리되어 있어 개방적인 아파트보다 프라이버시가 잘 보장되는 이점이 있다. 장변의 벽은 이웃집과 붙어있으니 창을 내기 불가능하고 결국 창문이 생길 수 있는 부분은 단변의 앞, 뒤 공간밖에 없어 햇빛도 잘 들지 않고 바람도 잘 통하지 않을까 걱정하지만 의외로 그렇지 않다. 이를 해결하기 위해 계단실 공간을 이용해 채광과 환기가 가능한 구조로 만들어 둔 것은 이 주거형식에 대한 베트남 사람들의 지혜이다. 또 마당이 없는 대신 옥상을 이용하여 정원이나 체육시설 등의 가족 공간으로 꾸며 시원한 바람과 함께 단란한 시간을 즐길 수 있도록 하는 부분도 눈에 띈다.

주거문화는 그 나라의 기후나 자연 환경적 조건뿐 아니라 삶을 이해하는 방식에 의해 대단히 큰 영향을 받는다. 사이공은 열대지방이고 비가 많기 때문에 습도가 높아 바람이 잘 통하는 집을 최고로 친다. 그래서 공기순환이 잘 되도록 하기 위해 층고를 높이고 바람의 드나듦을 위해 문을 넓게 한다. 하지만 창을 많이 내기보다는 적게 내어 그늘을 만들고 수는 적지만 넓게 만든 창은 목재로 외창을 덧대거나 차양을 두어 필요시 햇볕을 차단하도록 하고 있다. 또 집을 지을 때는 중국에서 유입된 음양오행 사상이 토착화되어 이루어진 풍수 사상의 영향도 받는다. 예를 들어 정문과 후문이 마주 보는 집은 재물이 빠져나가는 형상이라 하여 좋아하지 않는다. 길에 대해 사선으로 만들어진 공간도 꺼린다. 배치를 하기에 남향을 선호하지만 일조량을 많게 하기 위해 남쪽을 택한 것이 아니라 시원한 바람을 얻고자 하는 것이어서 근본적으로 한국인이 남향을 선호하는 것과 목적이 다르다. 또 사이공은 연약 지반이므로 건물을 높이 세우기에 어려움이 많다. 전통적인 건물도 어떻게 가벼운 구조를 만들어 나가느냐에 관심을 두었듯이 칼집을 지을 때도 건물의 무게를 줄이는 것이 중요하므로 콘크리트 벽식 구조 대신 기둥을 세우고 기둥과 기둥 사이를 중공벽돌(Hollow Brick)이라는 속이 빈 가벼운 벽돌로 채워 나가는 특징이 있다.

미술작품의 거리

뜻밖에도, 사이공의 시 중심부에는 갤러리가 많다. '뜻밖에도' 라고 밖에 말할 수 없는 것은 다른 나라의 도심에서 잘 볼 수 없는 현상이기 때문이다. 시 중심의 거리이면 임대료도 만만치 않을 텐데 그런 거리에 갤러리라니. 그것도 하나둘이 아니다. 그와 더불어 저렴하게 유명 작품을 모방한 작품들을 쌓아 놓고 판매하는 판매점도 눈에 띈다. 이런 갤러리는 사이공의 중심가인 동커이(Đồ ng Khởi) 거리와 1군 리뜨쫑(Lý Tự Trọng) 거리에서 많이 보이고, 그림 판매점은 남끼커이응이어(Nam Kỳ khởi nghĩa) 거리 등지에서 쉽게 발견할 수 있다. 어떻게 사이공에 이렇게 갤러리들이 성업할 수가 있었을까?

사이공에 미술작품 관련 사업이 활성화된 시초는 베트남 화가들의 작품이 해외로 소개되면서부터였다. 여기에는 아이러니하게도 전쟁이 끝나면서 해외로 탈출한 교포들의 역할이 지대했다고 한다. 이들을 통해 베트남 화가들의 작품이 세상에 알려지면서 해외에서 상품성이 높아지자 국내에서 작품을 취급하는 시장이 형성되기 시작했는데 이의 여파는 미술화랑 뿐만 아니라 베트남 고유의 공예품 제작소까지 미쳤다고 한다. 그것이 1980년 대 말에서 1990년대 초반에 이루어진 초기 시장이었다고 한다면 본격적인 활성화는 1990년 대 이후 베트남이 개방되고 외국인 관광객들이 직접 베트남 작가들의 작품을 구매하게 되면서부터 시작되었다. 더불어 신진 작가들의 활동이 활발히 늘어나면서 이들을 소개하는 갤러리 역시 성업하는 계기를 맞았다. 지금은 경제적으로 여유가 생긴 중산층이나 기업들이 작품을 찾게 되고 전람회 등을 통해 인기 작가가 배출되면서 시장의 규모가 더욱 커져가고 있다.

사이공에는 이런 전문적인 갤러리에서만 작품을 감상하고 구매할 수 있는 것이 아니다. 거리의 많은 그림 판매점을 통해서도 가능하다. 여기서는 주로 모작들을 취급하는데 유명 화가들의 작품을 미대생 또는 재능 있는 사람들이 모사하여 값싸게 팔고 있다. 거리에 밀집한 이런 종류의 화방을 방문하면 현장에서 그림을 그리는 모습도 볼 수 있다. 드물지만 눈에 띄는 창작품을 발견하는 행운도 누릴 수 있다. 무명의 재능 있는 젊은 화가의 그림을 소유할 기회이다. 이런 곳에 가족사진 또는 자기 사진을 맡겨 그림으로 그려 달라고 부탁해도 기꺼이 응해 준다. 벽을 장식할 '뜻밖의' 멋진 작품을 소장할 수 있다.

시장에 가자

나는 베트남어를 공부할 때 절반은 책을 보고 했지만 절반은 시장에서 익혔다고 말할 수 있다. 숫자를 세는 법, 돈의 거래, 과일과 채소, 식품에 대한 지식의 대부분은 거기서 얻었다 해도 과언이 아니다. 휴일 오후가 되면 어김없이 시장에 나갔는데 이는 한 주의 개인 일과 중 중요한 일정이었다. 시장은 베트남어를 연습하는 장소이기도 했지만 사이공 사람들의 삶의 단면을 생생하게 보여주는 곳이기도 했다.

내가 들르던 시장은 빈타인(Bình Thạnh)군의 '반타인 시장(Chợ Văn Thánh)'이다. 남부 방언으로 '쩌 반타인'은 '쩌 방탄'으로 발음되는데 성조와 발음을 잘못하면 '벤탄 시장(Chợ Bến Thành)'으로 알아듣기 때문에 주의가 필요했다. 당시 거처가 반타인 시장 뒤에 있던 아파트였기 때문이기도 했지만 재래시장이 가진 매력을 담기에 부족함이 없었다. 그러나 지금은 '펄 플라자(Pearl Plaza)'라는 고층의 상업 복합시설이 그 자리를 차지하고 앉아 사라진 옛 추억의 장소가 되고 말았다.

사이공에서 외국인은 시의 중심을 호찌민시 인민위원회 청사로 기준을 삼는다. 시청이기 때문이다. 그러나 사이공 사람들에게 시의 중심은 시장이다. 시 전체를 두고 본다면 벤탄 시장이고 군마다, 동마다 있는 '쩌(Chợ)'라고 불리는 시장이 중심이 된다. 사람들에게 시장이란 단순히 물건만 파는 장소가 아닌 그들의 생활이 공유되고 정보가 교환되는 장소이다. 이제는 반타인 시장처럼 현대화된 쇼핑시설에 밀려 자취를 감추어 가는 곳이 많지만 아직도 시장은 사이공 사람들의 일상생활은 물론 그 지역의 독특한 문화를 쉽게 접할 수 있는 장소로 부족함이 없다.

시장은 훙브엉 왕조 때부터 형성되었다고 하니 민족의 역사와 궤를 같이한다. 시장이 사람들의 삶에서 떼 놓을 수 없으니 당연하다. 또 집단과 촌락이 커지고 교역 등이 빈번해지면서 많은 시장이 활성화되고 유명한 시장들이 생겨났다.

한국인들에게 사이공의 시장을 물어보면 벤탄 시장(Chợ Bến Thành)을 안다는 경우가 대부분이다. 좀 더 아는 사람은 안동 시장(Chợ An Đông)을 거론한다. 하지만 벤탄 시장을 아는 사람도 짝퉁 의류 파는 곳 정도로만 이해하는 경우가 대부분이다.

벤탄 시장을 방문하면 그 안에서 북적이는 인파와 호객하는 상인들을 본다. 안으로 좀 더 들어가면 옷과 잡화에 감춰 있던 갖가지 식재료 판매점과 작은 음식점들이 있다. 여기저기 보물 찾듯 돌아다니다 보면 '오빠, 언니', '싸요' 하며 호객행위 하는 점원들의 한국어를 쉽게 듣는다. 고개를 돌려 뒤돌아보지 않을 수 없다. 현대화된 마켓에 비하면 당연히 소란스럽고 지저분하지만 그곳에 없는 생동감과 매력이 여기에 있다. 덥고 발품 팔기 힘들어도 들러 볼만한 곳이 시장인 것은 그들만이 가진 설명하기 어려운 그 생명력 때문이 아닌가 한다. 그러다 지치면 벤탄 시장 안 어느 가게 가판대에 앉아 퍼 한 그릇 후루룩 먹고 까페스어다 한 잔 마시면서 피로를 푸는 것도 시장 구경의 매력이다.

기왕에 소개를 시작했으니 벤탄 시장 이야기를 좀 더 덧붙여야겠다. 벤탄 시장은 누가 뭐래도 사이공에서 가장 유명한 시장이다. 이제는 외국인과 관광객들의 필수관광지가 되었다. 주소는 Lê Lợi, P. Bến Thành, Quận1이다. 원래 사이공 사람들의 시장은 벤응애(Bến Nghé) 강변, 지금의 타인뀌(Thạnh Quý) 지역의 부두 근처에 있었는데 사람들이 이 부두를 벤탄이라 불렀고, 주변의 시장을 쩌 벤탄이라고 했다. 1850년대에 프랑스 식민당국에서 이 부두에 대규모 선착장을 만들기로 결정한 것이 기존 시장의 위치를 옮기는 이유가 되었다. 새로 옮겨진 시장의 위치는 응우옌후에 거리가 되었고 여기에 기존 시장의 이름이었던 벤탄 시장이라는 이름이 공식적으로 붙여졌다. 하지만 이 시장은 1870년에 화재로 소실된다. 새 시장이 그 위에 재건되는데 그때에야 철 구조물로 세워지게 된다. 이런 역사의 벤탄 시장이 현재의 위치로 옮겨져 건설된 것은 1912년이었다. 그러니 이 사이공의 대표 시장은 원래 세워졌던 자리를 떠나 새로이 역사를 쓰고 있는 셈이다.

벤탄 시장에는 동, 서, 남, 북으로 네 개의 문이 있는데 출입문의 상단에는 비엔호아(Biên Hòa)에서 나온 도자기를 재료로 만든 아름다운 부조장식이 있다. 이 작품은 조각가 레방머우(Lê Văn Mậu) 등의 유명 조각가들이 공동으로 만들었다. 작품들은 정문의 시계탑과 함께 벤탄 시장의 상징이 되었는데 동문에는 소와 돼지, 서문에는 가오리와 바나나, 남문에는 소와 물고기, 북문에는 오리와 바나나가 조각되어 있다. 벤탄 시장에 들르게 된다면 꼭 한번 확인해 보시라.

벤탄 시장 옆에는 야시장이 열린다. 벤탄 야시장은 사이공에서 가장 큰 야시장 중 하나로 개장 시간은 오후 7시부터인데 액세서리나 의류를 비롯해 다양한 물건뿐 아니라 음식을 판매하는 식당들이 있다. 값은 조금 비싸지만 사이공의 저녁 도심 풍경을 즐길 수 있어 유명하다. 야시장이 설치되는 광경도 재미있다. 해 질 무렵이 되면 벤탄 시장이 문을 닫는데 거꾸로 어디선가 이동 천막과 리어카가 줄줄이 나타나서 뚝딱뚝딱하면 금세 문 닫은 시장 옆에 새로운 야시장이 세워진다. 지금은 꽉티짱 광장 로터리의 지하 공간 개발공사로 예전만큼 활기가 있지 못하지만 여전히 명소라 할 만하다.

간판 숫자의 비밀

코난 도일이 쓴 추리 소설의 주인공 명탐정 셜록 홈즈의 이야기에 베트남 방문 에피소드가 있다면 분명히 숫자의 비밀에 얽힌 이야기가 있지 않았을까? 제목은 '간판에 감춰진 숫자의 비밀' 정도가 어울리겠다. 베트남에 왔을 때 느낌이 그러했다. 그러니 홈즈의 눈으로 보아도 거리에 숫자가 꽤나 많아 보였겠다. 그는 옷깃을 세워 끌어당기며 생각에 빠졌을 것이다. 저 숫자는 무엇을 의미하는 것일까?

이런 숫자와 연결된 이름은 주로 식당이나 작은 상점에서 많이 찾아볼 수 있는데 가게 이름 뒤에 숫자가 따라오는 경우도 있고 심지어는 숫자 자체가 이름인 곳도 여럿이다. 예를 들어 가게 이름이 'Quán 126'이었다면 Quán은 음식점을 가리키는 것이니 126 식당이라는 뜻이다. 그렇다면 이 식당은 프렌차이즈 식당으로 126번째 등록 가게일까? 아니면 무언가 상징적인 의미가 담겨서일까? 그것도 아니면 베트남 사람들이 숫자를 좋아해서(실례로 국제 수학 경진대회에서 베트남 학생들이 매년 상위권에 이름을 올리고 있다) 그런 것일까? 물론 베트남의 가게나 식당에도 멋진 이름들이 있다. 한국인이 자주 찾는 'Nhà hàng Hồng Hải'는 홍색 바다이라는 이름을 가진 식당이니 해산물집을 뜻하는 분위기 있는 이름이다. 관광객들이 많이 찾는 'Quán Ngon'이라는 식당은 '맛있는 집'이니 의미가 명쾌하다. 사람 이름이 식당이나 가게인 경우도 있다. 'Mai'라는 가게가 있는데 물어보니 딸의 이름이라 한다. 이처럼 사랑하는 자녀의 이름을 사용한 경우도 여럿이다. 그래도 숫자로만 된 간판은 그런 간판 이름 가운데에도 독특하다.

베트남의 숫자 간판을 자세히 살펴보면 대개는 그 곳이 위치한 번지수와 식당 이름이 같다는 것을 발견할 수 있다. 그로부터 유추해 보면 숫자 간판은 고객이 기억하기 좋게 하려는 그들만의 홍보방식인 셈이다. 베트남 사람들이 여러 면에서 실용적인 사고를 한다고 생각하는데 이런 데에서도 그들의 특성이 고스란히 드러난다 할 수 있겠다. 매체나 다른 홍보 방식을 통해 알리기가 어려웠던 시절, 공공 교통수단 대신 자전거에서 오토바이로 개인 이동수단이 특이하게 발달했던 베트남의 가로접근 방식을 볼 때, 빠르게 지나치면서도 가독성 좋고 기억하기 좋은 이런 간판이 유용했을 것이다.

숫자로 된 베트남 식당은 기억을 위해서 성공적이라 할 만하다. 그런데 이런 가게가 히트를 한번 치면 주소, 번지 수에 관계없이 같은 이름을 쓴다. 분점이 모두 같은 이름이 되는 것이다. 그래서 숫자로 써 있는 가게인데 숫자가 주소와 관계없다면 본점, 혹은 원조 집이 따로 있다고 생각하면 된다. 지번과 가게 이름인 숫자가 일치하는 곳, 그곳이 본점이거나 원조이다. 사이공에 재밌는 원조 논쟁을 벌이는 곳이 94번지 식당이다. 외국인들에게 맛집으로 통해서 한국 교민들 중에도 한두 번씩은 그곳에 다녀온 분들이 많다. 그런데 거기 가면 94번지 집이 두 군데이다. 그것도 서로 이웃하고 있다. 어느 집이 원조일까? 한번 알아보는 것도 재미있겠다.

 베트남 음식점이나 가게의 간판을 보면 대부분의 경우에 주소가 간판 하단에 쓰여 있다. 베트남 주소는 한국의 주소 표기법과는 달리 번지, 도로명, 동, 구, 시 순으로 작은 단위에서 큰 단위로 옮겨가게 되어있다. 통상적으로 도로의 한 편이 홀수 번지이면 맞은편은 짝수 번지이다. 같은 도로에 있는 가게라도 숫자가 적은 쪽이 시 중심에 가깝다. 그래서 간판을 보면 대충 내 위치를 짐작할 수 있다. 외국인이 그 정도 알게 되면 그래도 베트남에 좀 살았다고 말할 수 있지 않을까?

27번지 다음은 29번지,
이 정도면 사이공을 좀 아는 거지?

공항 풍경

　외국 사람들에게 사이공에 입국하면서 받는 첫인상에 대해 물으면 오토바이 물결을 이야기하지만 실은 공항 입국장을 빠져나오면서부터 놀랐다고 해야 맞다. 떤선녓 공항에 도착하여 입국관리소에 신고하고 짐을 찾고 나서 출구로 빠져나오면 후덥지근한 열기를 느끼기도 전에 기다리고 있는 수많은 사람과 먼저 마주쳐야한다. 도대체 왜 이렇게 많은 사람들이 기다리고 있을까? 모여든 사람들 사이를 빠져나오기도 어렵지만 그 중에 날 기다리는 사람은 하나도 없다는 사실이 쑥스러워 걸음을 재촉하게 된다.

　한국에서 손님이 입국할 때면 대부분 공항에 나가 맞는다. 오는 분이 초행이면 잘못된 택시를 타지 않을까 우려도 되고 낯선 사이공에서 혹시 좋지 않은 경험을 하게 될까 봐 공항으로 나가 기다리는 것이 당연하다. 그런데 입국장 밖에 있다 보면 나 같이 홀로 손님을 기다리는 사람은 거의 없다. 할아버지, 할머니, 아저씨, 아줌마, 아가씨, 동생, 젖먹이까지 더해 한 부대가 출동한 사이공 사람들이 대다수이다. 그러다 보니 시장통같이 시끌벅적하다. 이런 풍경은 음력설인 '뗏(Tết)' 때가 절정이다. 사이공의 해외 교포들은 호주나 미국, 캐나다 또는 한국 등 다양한 지역에서 들어오는데 그 수가 상당하다. 이들을 맞이하기 위해 출동하는 마중인의 수는 그 세 배, 다섯 배 이상 되니 그 광경이 짐작이 되고도 남는다.

이렇게 해외에서 들어오는 교포 친지를 맞이하기 위해서 오는 사람들은 사이공 사람들이 아닌 경우가 많다. 이들은 먼 곳의 지방에서부터 차를 타고 이른 새벽에 출발해 공항에 도착하여 진을 친다. 그리고 피곤함에 지쳐 바닥에 자리를 잡고 잠을 청하기도 한다. 그러다 보니 입국장 밖의 대기 의자가 비는 일은 처음부터 기대하지 말아야 한다. 왜 이렇게 불편함을 무릅쓰고 잠을 설쳐가며 올라와서 고생들을 할까? 입국하는 이가 일가친지에게 그토록 중요한 사람이었을까? 내게 그 답을 해 준 사람이 있었다.

"출국장 가 보셨어요? 출국장에도 엄청난 환송객이 있어요. 베트남에서는 아직 해외로 나가는 사람들이 흔치 않아요. 그러니 해외 가는 친지가 있으면 환송 때부터 함께 하려고 하죠. 눈도장을 찍는 거예요. 그리고 이제 돌아올 때가 되었으니 당연히 다시 나가야 하지 않겠어요? 눈도장 값을 받아야죠. 그런데 해외에서 사는 교포가 왔다? 당연히 새벽차를 타고라도 올라와야죠."

진짜일까 싶지만 해외여행이 일반화되기 전 한국의 김포공항 풍경을 떠올려 보니 나름 이해가 되었다. 그래, 이것도 이 사회가 성장하며 거쳐야 할 과정이리라.

부자와 가난한 자가 함께

사이공에서 작은 거리들을 다니다 보면 가난한 노점상인들을 많이 보게 된다. 대부분은 노후한 오토바이나 자전거에 물건을 싣고 판매를 하는데 그것도 없는 사람들은 길거리에 물건을 펼쳐 두고 손님을 찾는다. 이런 노점상인 중 어떤 사람들은 버젓이 영업 중인 상점 앞에 좌판을 깔아 놓는다. 상점 주인 입장에서 보면 상점의 이미지를 해치기도 하거니와 상점을 찾는 손님들에게 방해를 주는 예의 없는 사람들인 셈이다. 심지어 과일 가게 앞에서 과일을 파는 노점상도 있다. 심각한 영업행위의 침해가 아닐 수 없다. 당장 공안을 불러 정리하는 게 합당할 것이다. 그런데 그러지 않는다. 시장을 다닐 때 이런 광경을 여럿 보았다. 시간을 두고 그들을 지켜보았다. 묘하게도 그들 사이에는 다툼이 없다. 오히려 손님이 없을 때는 서로 담소하며 웃고 즐긴다. 참 희한한 그들만의 삶의 방식이다.

직업이 건축설계하는 사람이다 보니 사이공에서 주거단지 개발 기획과 설계를 여럿 하게 되었다. 법에 따르면 아파트를 비롯한 주거단지 계획을 하기 전에 어떤 면적 규모로, 사람이 얼마나 살 수 있는 단지를 만드냐를 먼저 정해야 하는데 이를 '마스터플랜'

단계라고 한다. 사이공에서는 개발 규모와 인구수에 대한 기본 골격인 마스터플랜 첫 단계를 정부에서 결정하는 것이 원칙이다. 그 이후의 마스터플랜 상세 계획은 투자자 측에서 담당한다. 그런데 여기에는 규정이 있다. 일정 규모 이상의 주거단지 개발사업은 사업부지의 약 20%를 사회아파트(이주민아파트) 사업으로 개발하거나, 현금으로 환산하여 납부해야 한다.

　정부에서는 서민들도 좋은 인프라를 이용할 권리가 있고 서민들만 입주하도록 한 주거지역이 쉽게 슬럼화되는 것을 우려하여 이런 법령을 만들었으나 개발사업자에게는 돈을 버는 것이 최대의 목표이므로 대부분의 고급 주거단지 개발업체는 사회아파트 대신 현금으로 환산하여 지급하기를 선호한다. 그러다 보니 법령이 시행된 지 제법 지났지만 법적 실효성은 떨어지고 실제 개발도 지지부진한 것으로 드러났다. 드물게, 예를 들어 1군의 어떤 거리에 면한 지역을 개발하는 주거사업이나 7군 외곽의 어떤 사업들은 이 규정을 이행하여 있는 사람과 없는 사람들이 함께 공존하는 구조를 만들어 내었지만, 실제 입주할 때가 되었을 때 문제가 벌어지지 않으리라고 아무도 장담하지 못한다. 구매자 가운데 자기가 매입한 아파트가 속한 주거단지가 그런 규정에 적용되어 개발되었음을 아는 사람이 거의 없기 때문이다.

　상점을 가진 상인들은 좋은 과일을 비싼 가격에 팔고, 돈이 없어 가게를 내거나 품질 좋은 과일을 매입해 팔 여력이 없는 이들은 그 가게 앞에서 덜 좋은 것을 싼 가격에 파니 무엇이 문제가 되느

냐고 대답한 과일 가게 주인의 말이 생각난다. 함께 사는 지혜가
여기 있지만 우리가 일하는 환경에서는 이미 인정(人情)에 앞서
돈이 우선이 된 것이 현실이다. 베트남의 개발업체들 앞에 그런
노점상들은 철거할 대상으로 밖에 여겨지지 않을 것이다. 그런 것
처럼 이제 머지않아 많은 베트남 사람들이 자기 이익만을 앞세우
는 때가 올 것이다. 한국 사회가 그렇게 변해 갔던 것처럼 말이다.
오토바이끼리 부딪혀도, 차량에 스쳐도, 툴툴 털고 일어나 인사하
던, 부자나 가난한 사람이나 함께 하던 그리워해야 할 시절이 지
나가고 있다.

하이바쫑 거리의 과일 파는 아주머니

베트남, 이 정도는 알아야

 사이공을 얘기하기 전에 먼저 베트남이라는 나라에 대해 알 필요가 있다. 살짝 짚고 넘어가 보자.

 베트남의 정식 국가명은 '베트남사회주의공화국(Socialist Republic of Vietnam)'이다. 베트남어로는 'Cộng hòa xã hội chủ nghĩa Việt Nam'이라고 쓴다. 국가명에 대하여 바꾸고자 하는 다른 의견들도 제기되고 있다. 베트남은 공산당(Đảng Cộng sản Việt Nam)이 유일 정당이다.

베트남 국장

베트남은 고대 문명기를 거쳐 약 1,000년 간 중국의 지배를 받았다. 19세기 중반부터 20세기 중반까지는 프랑스 제국주의의 식민 지배를 받았는데 중도에 잠시 일본의 강점을 거쳐 1945년 9월 2일 베트남민주공화국(Việt Nam Dân Chủ Cộng Hòa)의 수립이 선포되었다. 프랑스가 물러간 이후에도 미국과의 전쟁을 치렀으나 1975년 드디어 전쟁을 종결하고 1976년 베트남사회주의공화국의 건립을 이루었다. 통일 이후로는 중국과의 전쟁도 치렀으니 베트남 역사는 침략과 식민, 그리고 항전과 독립으로 이어진 의지의 역사라 할 수 있다.

베트남 국기는 붉은색 바탕에 노란별이 그려져 있어 비교적 단순한 형태라 할 수 있다. 그래서 베트남 국기를 '금성홍기(金星紅旗, Cờ đỏ sao vàng)'라고도 부른다. 별은 베트남 인민을, 국기의 붉은 바탕은 혁명과 독립을 위해 흘린 피를 나타낸다. 이 별을 유심히 보면 5개의 마름모 조각이 모여 별을 이룬 것임을 알 수 있다. 각각의 조각은 사(士), 농(農), 공(工), 상(商)과 군인(兵)을 가리키는데 이들 다섯 인민이 뭉쳐 하나의 국가를 이루고 있음을 상징한다. 금성홍기는 응우옌흐우띠엔(Nguyễn Hữu Tiến)이 베트남 공산혁명 활동 중 체포되어 꼰다오 수용소에 사형수로 수감되어 있던 동안에 처음 만들었다고 한다.

베트남 국기

베트남 국가는 '진군가(進軍歌, Tiến Quân Ca)'이다. 원래 이 곡은 프랑스 항전 때 응우옌반까오(Nguyễn Văn Cao)가 작곡하여 군가로 사용하던 것인데 현재의 국가가 되었다.

베트남의 나라꽃에 대하여는 있느니 없느니 말들이 많다. 결론적으로 말하자면 현재 공식적으로 지정된 나라꽃은 없다. 그러나 비공식적으로 연꽃이 베트남의 이미지를 대표하는 꽃으로 사용된다.

베트남의 면적은 약 33만km²로 한반도의 1.5배이다. 서쪽에 산맥이 있고 동쪽으로 바다가 있다 보니 남북으로 해안을 따라 길게 국토가 형성되었다. 베트남의 최북단과 최남단 간의 직선거리는 1,650km에 이르며 동서로는 가장 좁은 곳이 약 50km로 잘록한 모양이다. 때문에 국토의 형태가 S를 이루고 있어서 여성적이라고 말하는 사람도 있다. 해안선의 길이는 약 3,444km에 이르며 다낭, 냐짱, 무이네, 붕따우 등 아름다운 해변 도시들이 있다.

베트남 국토의 73%가 산악지형인데 남부에만 머물던 사람들은 산을 볼 기회가 없기 때문에 이를 의아하게 생각하는 경우가 많다. 베트남에서 가장 높은 산은 해발 3,143m의 판시판(Fansipan) 산으로 동남아시아 최고의 봉우리이다.

베트남은 국토가 남북으로 길어 남쪽과 북쪽의 기후대가 다르다. 북부지역은 아열대기후로 사계절의 구분이 있고 남부는 열대 몬순기후로 '건기(Mùa khô)'와 '우기(Mùa mưa)'로 나눈다. 기후와 자연환경이 인간의 습성에 미치는 영향은 지대하다. 기후를 이해하면 북부와 남부사람들이 약간의 다른 성향을 가지고 있는 것을 이해할 수 있게 된다.

하노이를 중심으로 한 북부지역은 여름에 약 34도까지 오른다. 어떤 이는 길에만 나가면 습하고 더운 날씨에 저절로 땀이 줄줄 흐른다며 사우나랜드(Sauna Land)라는 재미있는 표현을 쓰기도 했는데 과연 옳다는 생각을 하게 된다. 반면 겨울에는 영상 14도까지 내려가는데 영하로 내려가는 적은 없다 해도 연교차가 크다 보니 몸으로 느끼는 추위가 상당하다. 사이공을 중심으로 한 남부지역은 상대적으로 일정한 기후인데 4월 말부터 11월까지는 우기로 하루 한두 번 정도는 비를 보게 되며 나머지 기간은 비가 없는 건기이다. 기온이 어떠냐고 묻는다면 '그냥 덥다'고 답하고 싶다.

인구는 매년 늘고 있으니 기록할 게 못 되지만 2017년 기준으로 세계 13위였고 동남아에서는 3위를 기록하고 있다. 2050년에는 1억을 넘을 것으로 예상한다. 2017년을 보면 노동인구 수가 부양인구 수의 두 배에 달하고 있으므로 바야흐로 인구황금기에 있다고 말할 수 있다. 이러한 인구황금기는 향후 20년 정도 유지 될 것으로 예측된다.

베트남은 다양한 민족으로 구성되어 있다. 절대다수를 이루는 것은 '낀(Kinh)족'이다. 베트남 민족을 통칭해 '비엣(Việt)족'이라 하는데 한자로는 '월(越)'이라 쓴다. 그래서 베트(비엣)남을 한자로 '월남(越南)'이라고 표기한다. 낀족과 53개의 소수민족이 모여 베트남 민족을 구성한다. 따라서 총 54개의 민족으로 구성되어 있다.

베트남의 행정구역은 5개 중앙 직할시(Thành phố)와 58개의 성(Tỉnh)으로 구성된다. 5개 중앙 직할시는 북부에 둘, 중부에 하나, 남부의 두 도시로 이루어지는데 하노이(Hà Nội), 하이퐁(Hải Phòng), 다낭(Đà Nẵng), 호찌민(Hồ Chí Minh), 껀터(Cần Thơ)가 그들이다.

베트남의 독립일은 1945년 9월 2일이다. 국부(國父) 호찌민 주석
이 하노이 바딘광장에서 독립을 선언한 날을 기념한다.

베트남의 국부(國父) 호찌민

수도는 하노이(Hà Nội)이다. 한자로는 '하내(河內)'라고 쓴다. 그
런데 사이공을 수도로 잘못 아는 이가 간혹 있다. 베트남 통일 이
전인 1954년부터 1975년까지 남베트남의 수도였던 적이 있기 때문
이다. 그리고 현재에도 규모로 보아 베트남의 최대 도시이다. 그
러나 수도는 북쪽의 하노이이다. 하노이는 황제 '리타이또(Lý

Thái Tổ, 李太祖)'가 1,010년 지금의 하노이인 '탕롱(Thăng Long)'으로 천도하여 오늘날까지 이르고 있다.

사이공에서 하노이까지는 항공편으로 두 시간 걸린다. 가끔 급하게 하노이에 가서 어떤 일을 알아봐 달라고 부탁하는 사람이 있는데 하노이는 이웃 동네가 아니라는 점을 명심해 주시라.

한국과 베트남의 시차는 2시간이다. 한국에서 오후 2시이면 베트남에서는 12시 정오이다. 그러니 점심시간 끝나서 오후 업무 시작했다고 베트남에 전화하지 말아야 한다. 우리는 이제 점심 먹기 시작했으니까.

베트남의 언어는 '베트남어'이다. 베트남어는 비엣족의 언어로 베트남 민족의 공용어이다. 베트남어는 6성조인데 이는 하노이를 중심으로 한 북부 방언을 기준으로 한 것이다. 사이공을 중심으로 한 남부 방언은 북부와 달리 음절 끝 자음의 처리가 분명하지 않고 연결된 모음을 발음하는 방식이 달라 5성조라고 말하는 사람도 있다. 여하튼 나라가 길다 보니 타 지역에서 알아듣지 못하는 말도 있고 표현이 다른 것도 있다.

외국어로는 영어가 가장 널리 쓰이는데 대도시 중심부와 쇼핑지역에서는 영어를 사용하여 소통하는 데 큰 불편이 없다.

베트남에서는 '베트남 동(VND)'을 사용해야 한다. 간혹 미국 달러(USD)를 사용하면 되지 않느냐고 하는데 그렇지 않다. 베트남에서는 베트남 화폐만 사용해야 한다. 그러니 공항에서이든 환전소에서이든 입국하고 나면 사용할 금액을 동화로 바꿔놓아야 한다. 물론 관광지에서는 한국 돈도 쓸 수 있는 경우가 있다. 그러나 어디까지나 특별한 예일 뿐이다. 정부는 베트남 국내에서 외국 돈의 통용을 금지하고 있다.

II

사이공,
사람들 속으로

리뜨쫑 거리에서 내기 장기 두는 두 사람

타인포(Thành phố) 사람들

자기가 머무는 땅을 축복하지 않는 사람은 그 땅에 머물 자격이 없다고 했다. 나는 절대적으로 그 말에 동의한다. 그 땅을 통해 사는 이가 그곳을 축복하지 않는데 어찌 땅이 그를 축복할까.

한국에는 '슬리퍼를 질질 끌고 다닌다'는 말이 있다.
예의에 맞지 않고 버릇없다는 부정적인 이미지가 담긴 표현이다.
그런데 모든 사람이 다 그러고 다닌다면 이 표현은 갑자기 '문화 현상'으로 이해된다.
그것이 '타인포 사람들(Người Thành phố)'이다.
나와 다르다고 예의를 모르거나 틀린 것이 아니다.
단지 삶의 방식이 다를 뿐이다.
그것을 받아들일 수 있다면 이 도시의 사람들은 얼마나 다양하며 이 땅은 또 얼마나 활기가 넘치는가.

부지런한 아침

사이공 사람들의 아침은 빠르게 시작된다. 다섯 시가 넘으면서 시작되는 아침은 거리와 공원으로부터 온다. 운동하는 사람의 한 무리가 사라지면 등교를 준비하는 부모들과 어린아이들이 있다. 이들은 함께 밖에서 아침을 먹고 아이를 학교까지 바래다준 후 출근을 한다. 그러니 등교와 출근이 겹치는 일곱 시에서 여덟 시까지의 시간은 혼란 그 자체이다. 그러나 그 안에서 꿈틀거리는 사이공의 심장박동이 느껴진다. 사이공의 아침에는 젊은 힘이 있다.

처음 사이공 생활을 시작하며 힘들었던 것이 새벽마다 들어야 했던 오토바이의 요란한 소음이었다. 침대 속에서 조금 더 뒤척이고 싶었지만 더 자라 해도 잘 수가 없었다. 한국에선 아홉 시 출근이니 일곱 시 넘어 일어나도 됐는데 하며 투덜거리던 것이 엊그제 같은데, 지금은 여기 생활에 익숙해지고 나니 여덟 시가 되기도 전에 사무실 자리에 앉아 있는 나를 발견한다.

어떤 외국인들은 사이공이 덥기 때문에 아침에 서두르는 것이라고 한다. 일리가 있다. 그러나 오후의 시간을 보라. 점심시간 후 잠시의 휴식을 취한 그들은 오후에도 열심이다. 그렇다면 이들은 하루를 길게 사는 사람들이다. 내가 만난 어떤 한국인들은 사이공 사람들이 게으르다고 말했다. 나는 그에게 아직 덜 살아보았기 때문에 사이공 사람들을 모르는 것이라고 말해주고 싶다.

바테헤(ba thế hệ)

특별히 유교가 영향을 끼친 동양의 네 나라인 중국과 한국, 일본, 그리고 베트남에는 가족이라는 이미지에 있어 많은 공통점을 가지고 있다. 인자한 부모의 돌봄 아래 자녀는 부모에게 효도하며 우애 있게 지내는 모습이 그것이다. 그런데 한국이나 일본의 가족 이미지는 상대적으로 젊다. 사랑하는 부부와 어린 자녀가 함께 하는 행복한 모습이 절대다수의 이미지이다. 핵가족화가 진행된 사회구조가 반영되어 있다. 그런데 베트남에서의 가족 이미지는 조금 다르다. 아직 본격적인 가족의 분화가 이루어지지 않은 베트남에서는 할아버지와 할머니에 대한 이미지가 추가되어 있다. 3세대가 함께 하는 모습이다.

베트남의 경제가 급속도로 발전하고 사회구조가 복잡해지면서 전통적인 가치들이 흔들리고 있다 그러다 보니 이혼율의 증가와 노인 문제는 물론 우애 있어야 할 형제간에 재산에 의한 분쟁에 이르기까지 새로운 사회문제들이 나날이 늘어나고 있다. 그래서 베트남 정부는 매년 6월 28일을 가정의 날로 정하고 가족의 소중함을 일깨우기 위해 애쓰고 있다. 그럼에도 사이공을 중심으로 핵가족화가 눈에 띄게 진행되고 있다. 토지가의 상승과 아파트 주거에 대한 선호도 증가, 그리고 젊은 세대의 경제력 증가가 이를 가속시키고 있다. 머지않은 미래에 베트남 어린이에게 가족의 이미지를 그리라고 하면 젊고 다정한 부모와 자기의 즐거워하는 모습으로만 채워질 것이다. 그때가 되면 할아버지, 할머니 세대에 대한 기억은 명절과 제사 때에나 떠올릴지도 모른다.

　가족 구성원의 중심에는 가장(家長)이 있다. 베트남어로 '쭈꼿(trụ cột)'이라 한다. '기둥'이란 뜻이다. 남편인 '쫑(chồng)' 또는 아버지인 '짜(cha)'가 그 역할을 한다. 가족의 구성원으로는 할아버지, 할머니를 뜻하는 '옹바(ông bà)', 아버지, 어머니를 말하는 '짜매(cha mẹ)' 자녀인 '꼰까이(con cái)'가 기본이며 3세대로 모여 사는 가정을 '바테헤(ba thế hệ)'라고 부른다.
　사이공에서는 형제자매 중 첫째를 '트하이(Thứ hai)'라 부른다. 첫째이면 '트녓(Thứ nhất)'이라 하는 것이 옳을 듯한데 '둘째'라 하니 이상하게 들린다. 일설에 의하면 베트남 역사에 전쟁이 많다 보니 맏이가 언제 죽음을 당하게 될지 몰라 첫째 아들을 둘째인 것처럼 부르기 시작한 것이 습관으로 굳어졌다고 하기도 하고 사이공을 개척했던 재상 응우옌흐우까인(Nguyễn Hữu Cảnh)이 둘째 아들이었기 때문에 그렇게 부르기 시작했다고 하기도 한다. 그의 업적을 기려서 둘째인 그를 첫째의 반열에 놓는 의미로 트하이가 첫째 아이가 되었다는 것이다.

성씨

베트남 사람들은 한국인을 만나면 무수한 '김(金), 이(李), 박(朴)' 씨가 있다는데 놀란다. 그런데 한국만 그런 것이 아니다. 베트남에도 '응우옌(Nguyễn)' 씨가 타 성에 비해 유난히 많기 때문이다.

자료를 보면 베트남 상위 3대 성씨는 '응우옌(Nguyễn)', '쩐(Trần)', '레(Lê)'라고 한다. 이 세 성씨가 전체 인구의 60%를 차지하고 있다. 그리고 응우옌 성씨 보유자는 전체 성씨의 거의 40%에 육박한다. 응우옌 성은 세계에서도 네 번째로 많은 성씨라고 한다. 베트남에 응우옌 성씨가 이렇게 많다 보니 학교에서 한 학급의 학생들에게 '응우옌'이라고 부르면 거의 절반이 손을 들지도 모른다. 한국에서는 커피숍에서 '김 사장님' 하면 절반이 뒤돌아본다는 우스개 말이 있는데 그와 같은 격이다. 하지만 실제로 베트남에서는 그런 해프닝이 안 벌어진다. 왜냐하면 베트남에서는 한국과 달리 호명할 때 맨 끝 이름을 부르므로 이름의 마지막 자가 응우옌이 아니라면 아무도 자기의 성을 부르는지 모르기 때문이다.

응우옌 성씨가 많다 해서 다른 성씨가 많지 않구나 생각하면 오해이다. 베트남의 성씨는 일백여 개에 달한다. 그중 많은 순서부터 대표적인 성씨들을 한자와 더불어 나열해 보면 다음 같다.

'Nguyễn (阮, 응우옌)'은 가장 많은 성씨이다. 그 다음이 'Trần(陳, 쩐)', 'Lê (黎, 레)', 여기까지가 3대 성씨이다. 그 다음에 'Hoàng(黃, 호앙)'이 있는데 'Huỳnh(후인)'과 같다고 보아도 된다. 그 외에 'Phạm(范, 팜)', 'Phan(潘, 판)', 'Vũ' 혹은 'Võ(武, 부, 보)', 'Đặng(鄧, 당)', 'Bùi(裴, 부이)', 'Đỗ(杜, 도)', 'Hồ(胡, 호)', 'Ngô(吳, 응오)', 'Dương(楊, 즈엉)', 'Lý(李, 리)' 등의 성씨가 있다.

베트남 사람의 이름

외국에 나와서 누군가를 부르려면 보통 성에 경칭을 붙여 부르게 된다. 우리 같으면 미스터 박, 미스 김 하는 식이다. 그런데 베트남에서는 다르다. 사람을 부르거나 자신의 이름을 말할 때 전체 성명이나 성이 아닌 마지막 이름만을 말한다. 누군가가 자신을 '훙(Hùng)'이라고 소개했다면 그것은 그의 성이 아니라 이름의 끝 자이다. 예를 들어 내 이름을 부를 때는 'Mr. 박'인데 여기서는 'Mr. 훈'이라고 하는 것과 같다. 한국인에게는 상당히 어색하다.

베트남 사람을 부를 때 이름의 마지막 자만 부르려니 같은 이름이 많게 느껴진다. 회사 안에 있다 보면 직원 이름이 네 명은 'Hiền', 두 명은 'Minh'이 되기도 한다. 공장을 관리한다면 'Thủy'를 부를 때 스무 명의 합창을 들을 수도 있다. 그래서 직원의 이름은 마지막 음절에 이전 음절까지 붙여 두 음절로 이름을 불러 구분하기도 한다. 예를 들어 직원의 성명이 'Nguyễn Thị Kim Hương'이라면 'Hương'이라고만 부르지 않고 'Kim Hương'이라 부르는 것이다. 직원 이름을 구별할 때 용이하다.

베트남 사람의 성명은 일부 소수민족을 제외하면 대체로 한자로부터 왔다. 그러나 한자사용이 폐지되어 사람들이 한자를 배우지 않았기 때문에 자기 이름의 한자어가 무엇인지 모르는 경우가 대부분이다.

베트남 사람의 성명은 성과 중간 이름(Middle Name), 그리고 이름의 순서로 사용하니 자연스럽게 성명이 세 음절 또는 네 음절이 된다. 한국인에게는 중간 이름이 생소한데 남자는 '반(Văn)'을 성 다음에 많이 쓴다. '반'은 '문(文)'을 이르는 것이니 학문을 숭상하는 유교의 영향으로 볼 수 있다. 여자의 경우는 네 음절의 이름으로 '티(Thị)'를 많이 넣는다. 한자로는 '씨(氏)'에 해당한다. 예로들었던 'Nguyễn Thị Kim Hương'을 보면 'Nguyễn' 씨(Thị) 집안의 딸 'Kim Hương'이라고 이해하면 된다. 이 중간 이름은 남성보다 여성에게 편중되어 사용된다. 그래서 같은 네 음절의 성명이라 해도 'Thị'가 들어갔다면 바로 여성임을 알 수 있다. 그러나 시대가 바뀌는지 지금은 세 음절의 성명을 가진 여성들이 늘어 간다. 한국인의 성명에는 중간 이름이 없다. 그러므로 외국 여행을 하다 보면 출입국카드에 중간 이름을 쓰는 칸이 있는데 여기에 자기 이름의 중간 글자를 써넣는 사람을 보았는데 잘못된 것이다. 중간 이름의 칸은 비워야 한다. 한국인의 성명은 베트남과는 달리 한 음절의 성과 두 음절의 이름으로 이루어진 세 음절의 성명이기 때문이다.

베트남 사람들은 자녀의 이름을 지을 때 여성은 예쁘게 자라라는 의미로 아름다움을 나타내는 형용사나 꽃 이름을 많이 사용하고, 남성에게는 부모가 그 아이에게 바라는 덕목이나 품성 등을 나타내는 이름을 많이 사용하는 경향이 있다.

기왕 이름에 대해 알아보았으니 주변에서 쉽게 마주치는 한자가 관계된 이름 몇을 알아보자.

'지엠(Diễm)'은 '아름다울 담(炎)'에서 왔다. '히엔(Hiền)'은 '어질 현(賢)'이다. '하(Hà)'는 '물 하(河)', '한(Hạnh)'은 '행운 행(幸)', '홍(Hồng)'은 '붉을 홍(紅)', '흥(Hưng)'은 남자 이름으로 '일어날 흥(興)', '흐엉(Hương)'은 여자 이름으로 '향기 향(香)', 자기 이름이 '낌(Kim)'이라 해서 한국과 같은 성씨가 있나 착각하게 했던 '낌'은 '쇠, 황금 금(金)' 이다. 하지만 성이 아니라 이름이다. 베트남에 '김'씨 성이 없다.

'라인(Lành)'은 '평안할 령(寧)', 꽃 이름으로 '리엔(Liên)'은 '연꽃 연(蓮)', 같은 꽃인 '란(Lan)'은 한자로 '난초 란(蘭)'이라 쓴다. 멋진 이름 '로안(Loan)'은 '불사조', '롱(Long)'은 '용 용(龍)', '민(Minh)'은 '밝을 명(明)', '응옥(Ngọc)'은 '구슬 옥(玉)', '프엉(Phương)'은 '향기로울 방(芳)', '꽝(Quang)'은 '빛 광(光)', '꾸옥(Quốc)'은 남자의 경우는 '나라 국(國)', 여자는 '국화 국(菊)'으로 쓸 수 있다.

'토아(Thoa)'는 '비녀 채' 또는 '비녀 차(釵)'이다, '투이(Thủy)'는

'물 수(水)', '찌(Trí)'는 '지혜 지(智)', '뚜옌(Tuyền)'은 '샘 천(泉)', '번(Vân)'은 '구름 운(雲)'이다.

'투언(Thuận)'은 '순할 순(順)'이고 '쑤언(Xuân)'은 '봄 춘(春)'이다. 앞서 '흐엉(Hương)'은 '향기 향(香)'이라는 것을 알았으니 한국 고전에 등장하는 '춘향'이는 '쑤언흐엉(Xuân Hương)'이라고 부르면 될 듯하다.

이처럼 베트남 사람들 이름의 대부분을 한자로 옮길 수 있으므로 같은 한자 이름을 많이 쓰는 한국 사람처럼 한국 이름으로 쉽게 바꿔 부를 수가 있다. 예를 들어 이름이 'Ngọc Lan'이라면 한자로 '玉蘭'이라 쓰고 한글이름은 '옥란'이 되는 것이다.

뜨거운 교육열

퇴근 시간도 되지 않았는데 엄청난 교통체증을 겪는 지역이 있어서 알고 보면 학교 앞이다. 아이를 등교시키고 하굣길에서 다시 맞이하는 오토바이와 승용차들의 장사진은 외국인들에게 익숙하지 않은 풍경이다.

베트남 부모들의 교육열은 여느 나라 못지않다. 하노이에서는 '특응이엠(Thực Nghiệm)'이라는 유명 초등학교에 입학원서를 구하려는 예비 학부형들이 한꺼번에 몰려들어 철재로 된 정문이 넘어가는 소동이 일기도 했다. 좋은 학교에 아이를 보내기 위해 그 학교가 있는 지역의 친지 주소로 위장 전입하는 것은 다반사이다. 부모들의 이런 열의는 사교육 열풍으로 번져갔다. 한국과 다른 점은 사교육이 학원에 집중되지 않고 선생님 집이나 학원, 자기 집 등에서 개인 또는 단체 과외로 다양한 형태를 띤다는 데 있다. 저녁때 거리를 다니다 보면 골목 안 작은 공간의 집에 학생들이 빼곡히 앉아 공부하는 모습을 발견할 수 있다. 비용이 저렴한 동네 사설학원이다. 공부가 끝날 때쯤이면 부모들이 자전거로, 오토바이로 아이들을 맞으러 온다. 생활이 여의치 않아도 자녀의 공부를 시켜야겠다는 집념은 정말 대단하다.

보통 한국이나 베트남의 교육열을 유교의 영향으로 해석하는 사람들도 있다. '입신양명(立身揚名)'이 곧 가문에 '효(孝)'가 되고 나라에는 '충(忠)'이 되기 때문이다. 그런데 베트남의 경우는 전쟁 때문에 막혀 있던 배움에의 갈증이 바야흐로 자식들의 꿈과 어우러져 폭발하기에 더욱 간절한지도 모른다. 그렇게 본다면 이곳에서 교육은 선택이 아닌 필수이다. 학교를 통한 기본교육은 단지 기본일 뿐이다. 지금도 크고 작은 수많은 영어학원이 밤늦도록 불을 밝히고 있고 최근에는 피아노, 미술 등 고가의 교육시설도 속속 문을 열고 있다. 부유층들이 늘어나면서 자녀를 외국으로 유학 보내는 것도 더 이상 새로운 뉴스가 아니지만 가난하다 해서 실망할 일은 없다. 그들에게도 수많은 학업의 기회와 장학금의 혜택이 기다리고 있기 때문이다. 똑똑하고 부지런하기만 하다면 '개천'에서 '용'이 나올 수 있는 꿈이 현실이 되는 것, 베트남에서는 아직도 가능하다.

베트남의 학제도 한국과 마찬가지로 대학교육을 제외한 정규교육 과정은 12년제를 택하고 있다. 그러나 한국과 같은 6-3-3학제가 아니라 5-4-3학제이다. 교육은 취학 전 교육과 정규교육으로 구분할 수 있다. 취학 전 교육이란 '유아원(Nhà trẻ)'과 '유치원(Mẫu giáo)'을 말하는데 많은 부모들이 자녀들을 어릴 때부터 교육시키기를 원해서 보편적인 교육형태로 자리잡고 있다. 사회주의

체제이기 때문에 여성의 사회진출이 보편화 된 베트남에서는 이러한 교육시설이 절대적으로 필요하다는 점도 작용했다. 게다가 높은 교육열에 가계소득이 늘다 보니 외국계 유아원, 유치원들도 성황리에 운영되는 곳이 여기 사이공이다. 유아원은 유치원 이전 단계로 보통 3살 이전의 아이들이 대상이다. 유치원은 3살부터 5살까지로 최대 3년이다. 직장생활 하는 부모를 위해서 종일반이 운영된다.

정규교육은 '초등학교(Trường Tiểu học)', '중학교(Trường Trung học cơ sở)', '고등학교(Trường Trung học phổ thông)'로 모두 12년 과정이다. 초등학교는 6세부터 10세까지 5년 기간으로 1학년부터 5학년까지이며 의무교육 대상이다. 중학교는 11세부터 14세까지 4년간이고 6학년에서 9학년까지의 과정이다. 중학교도 초등학교와 마찬가지로 의무교육 과정이다. 의무교육 과정을 마치고 상급 학교로 진학을 원하지 않는 경우에는 국영기술학교에서 직업교육을 받은 후에 사회로 진출하는 길을 택한다. 고등학교는 15세부터 17세까지로 3년 과정이다. 10학년부터 12학년까지이다.

대학(Đại học)교육은 3년에서 3년 반에 이르는 준학사(전문대학) 과정과 보통 4년간의 학사과정으로 나뉜다. 건축대, 약대 등은 5년 과정이고, 의대와 치대는 6년에서 7년 걸린다. 대학에 입학하려면 우리나라의 수학능력평가와 유사한 입학시험제도가 있어서

이를 통과해야 한다. 학사과정을 마친 후에는 석사(Thạc sĩ), 박사(Tiến sĩ) 과정에서 더 깊은 공부를 하기도 한다. 그런데 여기서 하나 짚고 갈 것이 있다. 설명한 나이는 한국으로 치면 모두 '만 나이'이다.

배워야 산다

대한민국이 한창 개발 시절 그랬듯이 베트남도 사정은 마찬가지이다. 신분의 상승을 위한 수단이 별로 없었을 때 농사일을 하던 한국의 부모들이 자식을 교육시키는 것만이 최선의 방안이라고 생각했던 것처럼 베트남의 부모들도 그렇게 하고 있다. 그래서 허리가 휘도록 열심히 일을 해서 모은 돈으로 산 소를 팔아서라도 자녀를 대학에 보내려고 애를 쓴다. 한국인들이 한때 대학을 일컫던 상아탑을 빗대어 우골탑(牛骨塔)이라 부르던 시절이 생각나게 한다.

1군 응우옌티민카이(Nguyễn Thị Minh Khai) 거리에 위치한 청년공산당연맹 산하의 학생지원센터(SAC)를 통해 확인해 보면 어려운 환경에서 대학에 입학하여 사이공 생활을 하는 학생들의 현황을 쉽게 파악할 수 있다. 이런 학생들은 같은 처지의 동료들과 모여 숙식을 하며 학업과 아르바이트를 병행하는 경우가 많다. 오토바이 주차요원 또는 식당에서 일하는 직원들 가운데에서도 이런 학생들이 있다.

매년 비율이 높아진다고는 하지만 아직 대학을 진학하기가 쉽지는 않다. 국립대(VNU)에 속한 대학에 들어가는 것은 더욱 어렵다.

그러다 보니 시골에서 여자아이가 대학 진학을 하는 경우, 그 동네 유지가 찾아와 이렇게 말하는 경우도 있다 한다.

"자네 딸이 이번에 대학을 들어갔다며? 축하하네. 그런데 학비와 생활비는 어찌 대려고 그러나? 걱정 말고 우리 아들놈과 이번 기회에 약혼을 시킴세. 그러면 내가 대학 졸업할 때까지 책임질 테니. 그리고 졸업하고 나서 둘이 결혼하면 되지 않겠나."

대학의 수는 점점 늘고 있지만 교육의 질이 함께 높아지고 있지 못하다는 점은 문제이다. 우수한 교수자원의 확보도 문제이고 교육환경도 개선되어야 할 것 투성이다. 잘 알고 지내는 유명 국립대학교의 부총장은 가능성과 자질이 있는 좋은 학생들이 대학에 와서 공부하는 동안 망가져 간다고 한탄했다. 그러니 우수한 인재의 해외 유출은 해가 갈수록 늘어만 간다. 베트남에 일할 젊은이가 많다는 것이 국가 경쟁력으로 부각되고 있지만 아이러니하게도 교육의 문제는 베트남에 진출하는 외국 투자기업으로부터 노동 인력의 품질에 대해 불만을 제기하는 이유가 되고 있다.

무엇이 베트남어를 어렵게 하나

베트남어를 처음 배우는 한국 사람들은 베트남어가 쉽다고 한다. 자음과 모음이 영어 알파벳 표기와 비슷해 익히기 쉽고, 의외로 한자에서 온 단어가 여럿 있어 친숙해지며, 일상 대화를 위한 문법체계가 간단하기 때문에 느끼는 현상이다. 그런데 그것은 큰 오산이다. 베트남어를 실전에서 사용해 보면 생각 외로 잘 통하지 않는다.

베트남어에는 한자에서 온 단어가 많다. 원래 한국과 같은 한자 문화권이었기 때문이다. 그래서 과거 중국에 사신으로 방문했던 우리 일행과 베트남의 사신이 만나 서로 한자로 필담을 나누고 교제했던 기록들도 남아있다. 베트남어의 한자 차용어는 거의 70%에 달한다 하니 한문을 배운 한국 사람들에게 유리한 상황이라 할 수 있다. 그런데 문제가 있다. 베트남이 스스로 한자를 폐지하였기 때문에 교육을 실시하지 않고 있어 한자를 모른다는 것이다. 베트남 사람의 성과 이름 대부분이 한자에서 왔음에도 자신의 이름을 한자로 인식하는 이는 거의 없다. 우리가 가장 많이 쓰는 표현인 '감사합니다'의 '깜언(Cảm ơn)'도 한자어에서 왔는데 '感恩'이다. 은혜에 감사한다는 뜻이다. 하지만 베트남의 젊은 사람들 중에 이것을 한자로 풀어 설명할 수 있는 사람은 거의 없을 것이다.

　한국인에게 베트남어를 쉽지 않게 만드는 가장 결정적인 장애는 '성조'이다. 베트남어에는 성조가 여섯 종류나 있다. 그러므로 그냥 알파벳 써진 발음대로 읽는다고 상대편이 이해할 수 있는 것이 아니다. 베트남어는 성조에 의해 의미가 천차만별이 된다. 예를 들어 '마(Ma)'라는 단어는 성조에 따라 엄마, 말, 귀신이 되기도 한다. 성조가 달라지면 '엄마 만났어'가 '귀신 만났어'가 될 수도 있다. 만일 외국인이 정확하지 않은 발음으로 베트남 사람과 대화를 한다면 그들은 처음 들어본 전혀 다른 외계어라고 생각할 것이다. 그런데도 이런 내용을 이해하지 못하고 직원이나 음식점의 종업원에게 자기 말을 못 알아듣는다고 대뜸 화부터 내는 한국 사람들이 있다. 그들 입장에서는 적반하장인 격이다.

　어느 모임에 참석한 적이 있다. 주최 측에서는 베트남 측 인사들에게 호감을 얻기 위해 한국에서 직접 온 대표이사가 베트남어로 인사를 했다.

　"씬짜오(Xin Cháo)."

　그런데 성조를 잘못 발음했다. 끝음절을 올려 말한 것이다. 얼른 주변을 훑어보았다. 그래도 그 자리에는 외국인들에게 경험 많은 베트남 사람들이 참석하고 있었음이 다행이었다. 그 정도는 이해할 수 있다는 표정들이었으니까. 그가 인사말로 한 것은 "안녕하세요(Xin Chào)"가 아니라 "죽(Cháo) 좀 주세요"라는 뜻이었다.

베트남과 한국에 끼친 중국 문화의 영향은 양국의 문자 발달과정에서도 많은 공통점을 갖게 하였다. 두 나라 모두 고유의 말은 존재하면서도 문자가 없었기 때문에 오랫동안 한자를 사용했다는 점, 자국의 독립적인 문자를 갖고자 하는 의지가 높아 한자를 차용해 문자를 만들어 사용했다는 점 등이 그렇다. '이두'와 '쯔놈(Chữ Nôm)'이 그것이다. 그 이후로 한국은 15세기에 새롭게 한글을 만들었고 베트남은 17세기에 당시 사용되던 문자를 자신들의 것으로 수용했다.

'쯔놈'은 한자를 바탕으로 만든 문자로 상형문자이다. 한자에 의해 베트남어 음을 표기하는 방식이다. 쯔놈은 탄생 직후부터 성원을 얻었다. 유명한 '쭈옌 끼에우(Truyện Kiều)' 등 문학작품도 쯔놈으로 쓰여졌다. 쯔놈은 '꾸옥엄(Quốc âm: 國音)'을 의미하는 말인데 '쯔(chữ)'는 글자, '놈(nôm)'은 베트남을 의미한다. 쯔놈은 문자를 통해 베트남 사람들의 민족자주정신을 대표적으로 나타낸 사례라 할 수 있다.

'베트남 국어(chữ quốc ngữ)'는 베트남 문화와 유럽 문화가 만난 결과물이라 해도 좋을 듯하다. 16세기 베트남을 찾은 포르투갈 선교사들이 선교를 위해 베트남어를 배워 라틴문자로 음성을 표기하면서 시작되었다. 이것이 '국어(Quốc Ngữ)'의 기원이다. 여기에는 여러 나라 선교사들의 노력이 있었는데 그중 1624년부터 1644년까지 베트남에서 활동하다가 1651년 로마에서 'Dictionarium Annamiticum Lusitanum et Latinum'이라는 베트남어 사전을 출간한 프랑스 출신의 알렉상드르 드 로드(Alexandre de Rhodes) 신부를 최고의 공헌자로 꼽고 있다. 이 사전에 베트남어 표기로 국어가 사용되었다. 그래서 사이공에도 거리에 알렉상드르 신부의 이름을 붙여 그의 공로를 기리고 있다. 하지만 처음부터 이 문자가 베트남 사람들의 관심을 얻은 것은 아니다. 1910년에 이르러 국어가 보급된 지역의 문맹률이 낮아지는 효과가 나타나면서부터 프랑스 식민당국은 물론 베트남 민족주의 진영에서도 이 글자를 사용하게 되었다. 1918년 공식문서에서 한자가 폐지되면서부터는 국어와 쯔놈이 병용되었는데 1945년 베트남민주공화국이 국어를 베트남의 공식문자로 인정하면서 쯔놈은 역사 속으로 자취를 감추게 되었다.

베트남 국어의 알파벳은 모두 29자이다. 영어 알파벳 26자와 비교했을 때 'F, J, W, Z'가 없다. 하지만 외래어 표기나 단문 메시지와 같이 비공식적인 작문에서는 사용하기도 한다.

베트남어도 방언이 있다. 국토가 남북으로 길고 여러 소수민족이 있다 보니 지방마다 발음이나 표현이 확연히 다른 경우가 있다. 예전에는 하노이 사람이 사이공의 초등학교로 전학을 오게 되면 서로 못 알아듣는 말도 있었다고 한다. 한국으로 말하면 서울 사람이 제주도로 이사 간 격이겠다. 전통의상을 북쪽에서는 '아오자이', 남쪽에서는 '아오야이'라고 부르는 정도는 아주 가벼운 차이이다.

남과 북이 통일되면서부터는 수도인 하노이어가 표준어가 되었다. 하지만 사이공을 비롯한 지방은 자기들 고유의 방언을 자존심으로 여기고 지키고자 한다. 그러니 사이공과 하노이를 오가며 활동하고 있다면 두 지역의 방언을 이해할 필요가 있다. 하지만 보통의 사람들에게 발음이나 표현 때문에 문제가 생기는 경우는 없는데, 이를 가능하게 하는 데 가장 공헌한 것이 텔레비전의 보급 효과였다고 한다.

여성의 날

3월 8일은 '세계 여성의 날'이다. 사이공 사람들은 '~의 날'이라는 기념일을 챙기는 편인데 이날도 그런 날 중의 하나이다.

사이공에 와서 처음 맞은 여성의 날에 있었던 일이다. 남자 직원 하나가 출근길에 사탕과 꽃을 가지고 와서는 모든 여직원 책상 위에 올려놓는 거였다. 이유를 물어보니 그 날이 여성의 날이란다. 여성의 날이라니? 대한민국에서는 듣지도 보지도 못했던 날인데? 그런데 그게 아니었다. 은근히 주변 여직원들의 압력을 느낀 나는 그 날 점심을 사는 것으로 여성에 대한 내 존경심이 어떠한가를 증명하고 위태로운 자리를 보전하였다. 그런데 같은 해 10월에 또 '여성의 날'이 왔다고 한다. 여기서 지내는 동안 '남성'으로서 아무런 '보살핌'도 못 받았는데 한 해에 두 번씩인 여성의 날이라니! 이럴 수도 있느냐 항변하는 내게 직원이 친절히 설명해 준다. 이유인즉, 3월 8일은 '세계 여성의 날'이고 10월 20일은 '베트남 여성의 날'이라고 한다. 내용이 다르니 지켜야 한다. 여하튼, 내가 보기엔 차별이 확실하다.

세계 여성의 날은 1908년 3월 8일 일만 명이 넘는 여성 노동자들이 뉴욕 럿거스 광장(Rutgers Square)에 모여 여성 노동자의 권리와 참정권을 요구하며 대대적인 시위를 벌인 것이 계기가 되어 1910년 제정되었다. 그리고 '세계 여성의 해'이었던 1975년, UN은 이날을 국제기념일로 선포했고 이에 따라 베트남에서도 세계 여성의 날을 국가기념일로 지킨다. 반면 '베트남 여성의 날'은 10월 20일을 택해 베트남 정부에서 제정한 것으로 '어머니의 날' 정도로 이해하면 된다.

사이공 사람들은 세계 여성의 날을 더 중히 여기는 경향이 있다. 베트남 여성의 날은 정부가 지정한 날이고 많은 행사를 하지만, 일반인들에게는 노소를 가리지 않고 여성에게 선물을 하고 존경심을 표하는 세계 여성의 날이 더욱 친숙하다고 한다. 이날 남자들이 여성에게 꽃을 선물하는 것은 이곳의 보편적인 관습이 되었다. 만일 젊은 여인이 애인으로부터 꽃 한 송이 받지 못했다면 둘 사이에 상당히 문제점이 있는 것으로 보면 된다. 당연히 꽃 장사와 선물 가게는 반짝 특수를 누린다. 갖가지 예쁜 모습으로 포장한 꽃다발은 평소의 몇 배 비싼 가격임에도 남성들은 그들의 사랑을 위해 기꺼이 비용을 지불한다. 물론 어떤 남자들은 '생존'을 위해 꽃을 준비하는 경우도 있겠지만.

중추절(仲秋節)

　한국에서 추석은 오곡백과가 무르익는 절기로 온 가족이 함께 모여 한 해의 풍성한 수확을 감사하고, 조상께 차례를 지내고 성묘를 하며, 모인 일가친지가 음식과 정을 나누는 민족의 큰 명절이다. 그런데 베트남 사람들도 한국인들과 같이 음력 8월 15일을 추석 명절로 즐긴다. 추석을 한자로 '중추절(仲秋節)'이라 부르듯이 베트남에서도 같은 의미로 '쭝투(Trung Thu)', 영어로는 'Mid-Autumn Moon Festival'이라고 한다. '쭝투를 지낸다'는 표현을 베트남어로는 'ăn Tết Trung Thu'라고 하는데 이를 문자대로 번역하면 '쭝투를 먹는다'는 뜻이다. 하늘에 가득 찬 달 아래서 함께 하며 음식을 즐기는 것이니 그 표현이 맞을 듯하다. 그러므로 베트남 사람들에게 쭝투는 가족이 함께 음식을 나누고 둥근 달을 바라보며 향을 피우고 소원을 비는 소중한 시간이 된다.

　베트남에서는 중추절을 '가정의 날' 혹은 '어린이를 위한 날'이라고 표현하기도 하는데 쭝투가 이렇게 불리게 된 데에는 호찌민 주석의 영향이 컸다. 어린이를 유난히 사랑했던 호 아저씨가 어느 해 중추절 행사에서 전쟁 때문에 가정과 사회로부터 사랑받지 못한 아이들을 돌아보고 사랑하자고 말했기 때문이다. 그로부터 가정과 어린이들에게 보다 큰 관심이 돌아가게 되었다. 그래서 중추절을 '뗏쩨앰(Tết trẻ em)'이라는 별칭으로도 부른다.

한국과 마찬가지로 베트남의 중추절이 언제 시작되었는지 정확한 기록은 없지만 중국에서 들어온 문화로 추측하고 있다. 그러나 중국에서 유입된 다른 문화가 그러하듯 쫑투도 중국의 그것과 다른 형태로 소화되어 베트남 고유의 문화로 자리매김하고 있다.

한국에서 추석 하면 송편이듯, 쫑투에는 보름달빵, '바인뗏쭝투(Bánh Tết Trung Thu)'를 빼놓을 수 없다. '바인뗏쭝투'는 '바인쭝투(Bánh Trung Thu)'라고도 하는데 예쁘게 포장된 상자에 담아 아이들과 친지들에게 선물하는 추석 선물로 최고의 인기를 얻고 있다. 바인쭝투는 둥근 모양이나 사각형으로 만들어지는데 여기에는 둥근 하늘과 네모난 땅을 상징하는 '천원지방(天圓地方)'의 우주관이 담겨 있다. 그래서 바인쭝투 세트에는 사각형과 원형이 적절히 배열되어 있다. 황금색 바인쭝투도 볼 수 있는데 이것은 태양을, 흰색 바인쭝투는 달을 뜻하는 것이라고 한다. 또 바인쭝투 속에 노란 계란을 두어 보름달을 상징하기도 한다. 하늘과 땅 속에 숨겨진 달을 먹는 재미라니. 먹거리에 담긴 베트남 사람들의 재치를 엿볼 수 있는 부분이다.

지금은 제과사에서 만든 바인쭝투를 선물로 사 가지만 원래 바인쭝투는 집안에서 만들어서 먼저 조상들에게 올리고 난 후, 어린

이들과 친지들과 더불어 나누어 먹었다. 바인쫑투는 재료가 다양한 만큼 맛도 다양하다. 처음에 먹을 땐 좀 어색해도 먹다 보면 또 손이 간다.

쫑투에 바인쫑투가 필수 선물이다 보니 쫑투가 시작되기 두어 달 전부터 제과사 간에 바인쫑투 광고 전쟁이 시작된다. 몇 년 전까지 낀도(Kinh đô)사의 독주체제였는데 지금은 유명호텔 제과부뿐 아니라 해외 제과 브랜드까지 합세해 세계대전이라도 벌일 태세이다. 통계에 의하면 이 두 달 동안의 매출이 한 해의 장사를 좌우한다 하니 제과사로서는 사활을 걸 일이기도 하다. 그런데 쫑투 두 달 전부터 팔고 팔기 한 달 전부터 생산되면 상품으로 만들어져서 최소한 세 달은 고객을 기다린다는 것인데 괜찮은 것인지 아주, 아주 가끔 의문이 들 때가 있다.

고국을 떠나와 타국에서 생활하는 외국인, 특히 한국 사람들에게 명절은 새삼 두고 온 하늘과 땅, 그리운 사람들을 생각나게 한다. 가족과 친지들에게 뿐만 아니라 오늘을 평안히 보낼 수 있게 한 모든 이들에게 감사하는 시간을 갖는 것 자체가 귀한 일이다. 그러니 쫑투가 되면 바인쫑투를 들고 둥근 달을 바라보며 그리운 이들과 감사한 마음을 되새기는 시간을 가질 일이다.

올해도 보름달처럼 풍성하게~

크리스마스

　한국의 겨울은 크리스마스(Giáng Sinh)로부터 시작한다고 해도 과언이 아니다. 크리스천인지 아닌지에 관계없이 크리스마스는 온 나라와 민족이 즐기는 날이 되었고 누구라도 눈이 내리는 화이트 크리스마스의 추억을 꿈꾸기 마련이다.

　베트남은 어떨까? 쨍쨍한 햇빛 아래서 맞는 따뜻한(?) 크리스마스라는 점을 제외하고 베트남의 크리스마스는 한국과 다를 것이 없다. 특히 경제중심지인 사이공의 크리스마스 열기는 대단하다.

　크리스마스를 '노엘(Noel)'이라고 하는데 12월에 들어서면서부터 시내 대부분의 건물들이 성탄을 상징하는 온갖 조형과 장식으로 외관을 치장한다. 시민들이 건물 안팎으로 꾸며진 장식들을 배경으로 사진을 촬영하는 모습을 이맘때면 쉽게 찾아볼 수 있다. 어느 건물의 경비원도 이러한 사람들을 제지하는 법이 없다. 또한 크리스마스로부터 시작해서 가로수는 물론이고 응우옌후에, 동커이, 레러이같이 중요한 거리들은 각양 색상의 아름다운 조명과 장식으로 꾸며지는데 거리에 따라 콘셉트를 달리한 수십 미터에 달하는 빛의 터널을 만들기도 하여 시민과 관광객들에게 즐거운 볼거리를 제공하고 있다.

크리스마스 전야에는 택시나 승용차로 중심가에 진입할 생각은 아예 말아야 한다. 시내로 향하는 오토바이의 행렬 때문이다. 이 흐름에 갇히면 오도 가도 못하는 신세가 된다. 크리스마스 분위기에 취한 젊은이들과 마땅히 즐길 거리가 없는 가족들은 모두 시내로 몰려든다. 비록 프랑스의 지배를 받았다고는 하나 수년 전만 해도 크리스마스를 즐기는 사람이 많지 않았다 하는데 지금은 너도나도 들뜬 분위기의 날이 되었다.

그런데 나쁜 것은 먼저 배운다고 했던가? 크리스마스는 이 땅에 그리스도로 오신 아기 예수의 탄생을 기념하는 날인데 웬걸! '크리스마스 베이비'라는 엉뚱한 아기들의 탄생이 사회문제화 되는 등 웃지 못할 일이 생기고 있다. 그러고 보니 크리스마스의 본래 의미는 퇴색된 채 그저 '노는 일탈의 날'이 되어 버린 건 어느 사회나 마찬가지인가 보다. 크리스천들의 책임이 느껴지는 부분이 아닐 수 없다. 크리스마스에는 오히려 조용히 묵상에 잠겨 그리스도이신 예수님이 한 아기로 오신 의미를 생각해 볼 일이다.

새해, 새봄맞이

1월이 되면 자주 듣게 되는 노랫소리가 있다. 거리 여기저기에서 들려오는 이 노래는 경쾌한 후렴구를 가지고 있는데 발음하기도 쉬워서 금방 따라 하게 된다.

"쑤언 다 베~ 쑤언 다 베"

'쑤언다베'는 'Xuân đã về'라고 쓰는데 '봄이 왔어요'라는 뜻이다. 한국 사람이라면 이 더위에 무슨 봄이냐고 의아해할 것이다. 나도 그랬다. 하노이라면 몰라도 사이공은 건기, 우기밖에 없는데 무슨 봄인가? 그렇지 않다. 북부이건 남부이건, 음력 1월 1일은 새해이면서 동시에 봄의 시작을 알리는 날이다.

베트남 사람들의 진짜 새해는 음력 1월 1일이다. '뗏(Tết)'이라고 부른다. 한국에서는 양력설을 새해의 시작으로 여기지만 여기 베트남 사람들은 음력설인 뗏이 되어야 새해가 되었다고 말한다. 그래서 베트남 사람과 대화를 하다 보면 뗏 전에는 항상 '내년에, 내년에'라고 얘기를 하는데 양력 설날에 익숙하다 보니 가끔 그것을 다음 해로 착각하게 된다. 대부분의 기념일을 양력으로 삼는 베트남 사람들도 새해만큼은 음력을 따르는데, 오랜 전통을 지키고자 하는 그들의 생활 태도를 여기서도 읽을 수 있다. 기업도 마찬가지여서 외국계 기업들을 제외하고는 12월 말보다는 음력 설 전에 종무식을 하는 경우가 많다.

뗏이 가까워오면 사이공에 살던 수많은 사람이 멀리 떨어진 고향으로 돌아가기 위해 전쟁을 치른다. 한국의 귀성 풍경과 다를 바 없다. 뗏을 하루, 이틀 앞두고는 본격적인 민족 대이동이 시작된다. 직장인들도 모두 고향을 찾아 3, 4시간 정도의 거리는 오토바이로, 먼 곳은 며칠씩 달리는 버스와 기차, 여유가 있다면 항공편을 이용하여 가슴 벅찬 귀향길 대장정을 시작한다.

음력설인 뗏은 순수한 베트남어로 '새해 첫날 아침'이라는 뜻이다. 원래 '뗏응우옌단(Tết Nguyên Đán)'의 준말인데 '응우옌단(Nguyên Đán)'이 한자로 '원단(元旦)'이다. 원단은 '으뜸 원(元)'에 '아침 단(旦)' 자를 쓰는 것으로 그해의 시작을 알리는 중국 설의 명칭이다.

새해 새 아침을 맞는 이 날에는 새 옷을 입고, 집안을 청소하며, 밖에는 국기를 게양한다. 과거에는 폭죽을 터뜨리며 새해를 축하했지만 1994년 이후로 개인의 폭죽사용이 금지되어 정부에서 지정한 장소에서만 실시한다.

설날은 한 해 동안 보살펴 준 조상의 은혜에 감사하고 무엇보다 각지로 흩어졌던 가족이 모여 서로를 보듬는 기간이다. 떨어져 지내던 가족과 친지를 만나고 타향살이의 어려움에 대해 나누기도 하고 위로하고 격려하고 그간 있었던 좋은 일은 기뻐하고 이웃과도 어울려 정을 나누는 때이기도 하다. 아름다운 전통의상인 아오자이를 입고 신년인사를 나누는 일과 준비한 음식과 리씨(Lì xì)를 주고받으며 행운과 복이 함께 할 새해를 기대하는 것은 이날의 아름다운 풍속이다. 비록 전통적인 형식들의 의미가 많이 퇴색되고는 있지만 설날은 여전히 베트남인에게 가장 크고 중요한 민족 명절이다.

그리고 뗏은 봄의 시작이기도 하다. 모든 것이 새로운 새해에는 계절도 새롭게 시작된다. 거리도 봄 치장을 하고 집안도 봄맞이 준비를 한다. 지난해의 묵은 찌끼들을 날려 버리고 새해와 함께 새봄을 맞는다. 시내의 거리들은 예쁜 노란 꽃등으로 장식되고 여기저기 꽃길이 생긴다. 모두가 봄을 환영하는 축제의 모습이 된다. 사이공은 열대몬순기후이므로 계절의 구분이 없다. 하지만 사람들은 해가 바뀌고 새로움이 시작된다는 그것을 '봄이 온다'는 소식으로 노란 매화와 각종 분재에 담아 축하한다. '쑤언다베'이다.

새해가 밝았다. 새롭게 한 해가 시작된다. 그리고 봄이 오는 소리를 듣는다. "쭉뭉남머이!(Chúc Mừng Năm Mới!)"

외국인이라면 새해 새날에 주의할 것이 있다. 이런 풍습은 지역에 따라 차이가 있지만 일반적이고 재미있는 몇 가지 사항을 알아 두면 유익할 것이다.

우선 설 첫 사흘간은 빗자루로 바닥을 쓸면 안 된다. 빗자루에 쓸려 행운이 바깥으로 날아갈까 봐서 그렇다. 그래서 누군가 혹시라도 실수하지 않도록 섣달 그믐날 밤에는 집안의 빗자루를 몰래 숨겨 놓기도 한다.

임산부는 이 기간에 다른 이의 집을 방문하면 안 된다. 임산부가 남의 집을 방문하면 그 집에 한 해 동안 불행이 온단다. 너무하다고? 아니다. 이 풍속에는 임산부가 명절 기간 중 다른 이들을 신경 안 쓰고 평안히 쉴 수 있도록 하는 배려가 숨어 있다.

임산부뿐 아니라 지난해 우환이 있던 사람도 다른 이의 집을 방문하는 것이 금지되어 있다. 장례를 치렀던 사람도 마찬가지이다. 우환이 옮겨질까 우려해서이다.

다른 이의 집을 방문하거나 외출할 때는 행운의 빨간 색이나 재물을 나타내는 노란색, 생명의 상징인 녹색과 같이 화려한 옷을 입는 것이 좋다. 거리에 이런 색깔의 아오자이들이 많은 것이 다 이유가 있다.

연초에 그릇을 깨면 이별을 한다고 한다. 연인이 있다면 끔찍한 일이다. 헤어질 사람이 없다면 가족 간에 불화가 생긴다고 한다. 아마도 설이라고 마음이 들떠서 다니지 말고 신중하게 모든 일을 챙기라는 의미로 생긴 풍습이 아닐까 싶다.

또 설 첫날 오전에는 가급적 남의 집을 방문하지 않는 것이 좋다. 친구 집이라도 마찬가지이다. 그날은 집안의 가장이 첫 번째로 대문을 밟는 것이 관습이다. 외국인이라고 심심하다 해서 베트남 친구 집에 일찍 찾아갔다가는 눈총을 받을 수도 있다.

풍습은 아닌데 중요한 게 하나 더 있다. 뗏 때에는 교통단속이 심하므로 오토바이 몰 때 보통 때보다 신경을 더 써야 한다, 특히 신분증과 운전면허증은 꼭 챙겨야만 한다. 만일에 대비해 비상금도 조금 준비해 두는 것이 센스이다.

설날의 꽃

사이공 사람들 같이 꽃을 사랑하는 사람들이 있을까?

평소에도 꽃을 사거나 집 안팎을 꽃으로 장식하는데 부지런한 사이공 사람들이지만 설이 되면 꽃 사랑이 절정에 이른다. 공원이나 공터는 아예 화훼단지로 변하고 꽃을 사는 사람들과 파는 사람들로 인산인해를 이룬다. 거리의 장식도 예사롭지 않다. 1군의 팜응옥탁(Phạm Ngọc Thạch) 거리에는 아예 노란 매화를 조화로 만들어 나무에 달아 놓아 절대 지지 않는 꽃의 거리 풍경을 연출하기도 한다. 사무실과 호텔은 로비에 대형 화분을 설치해 두고 꽃으로 새해 새봄맞이를 한다. 가정들이라고 빠질 수 없다. 어디나 꽃이 있다. 그리고 그것으로 끝이 아니다. 상점과 집의 유리문에는 꽃 그림을 그린다. 매화를 붙인다. 봄꽃의 천국이 된다.

뗏이 되면 사이공이 꽃 천국으로 변한다지만 아무 꽃으로나 봄을 맞을 수 있는 것은 아니다. 매화와 복숭아꽃, 금귤나무와 노란 국화 그리고 대나무만 가능하다.

매화인 '호아마이(Hoa Mai)', 그 중에도 황금 매화나무꽃은 사이공 사람들이 가장 좋아하는 봄꽃이다. 뗏에 꽃잎이 다섯 장짜리 호아마이가 많이 피면 그해 일 년 동안은 행운이 넘쳐난다고 한다.

복숭아꽃인 '호아다오(Hoa Đào)'는 북쪽 지방에서 가장 사랑을 많이 받는 봄맞이꽃이다. 하노이 사람들은 붉은빛 호아다오로 집 안을 장식하면 일 년 내내 행운과 재운이 따른다고 해서 꼭 붉은 호아다오를 찾는다.

금귤나무인 '꺼이꾸엇(Cây Quất)'의 열매는 행복과 원만함의 상징이다. 또 무성한 잎은 재물의 상징이기도 하다. 사이공 사람들은 이 나무를 건물 또는 집의 출입구 양옆에 세워두어 행복한 한 해를 기원한다.

노란 국화는 호아마이나 호아다오와는 조금 다른 의미를 가지고 있다. 두 꽃은 자체로 봄을 상징하고 있지만 국화는 색깔 때문에 선호되는 점이 다르다. 여러 국화 중에 노란색만 취급하는 것이 그 이유이다. 노란색은 재물과 복을 상징한다. 그래서 거리마다 화분에 심은 노란 국화를 내다 파는 이유가 거기에 있다.

꽃은 아니지만 대나무인 '꺼이네우(Cây Nêu)'도 봄맞이로 많이 찾는다. 대나무는 복을 부르기보다는 액을 쫓는 의미가 더 강하다. 길이가 약 5, 6m 되는 대나무를 문 앞에 설치하고 대나무 끝에 행운을 표하는 글자를 붙인 후 음력 1월 7일까지 장식해 둔다. 사이공과 같은 대도시에서는 이런 대나무를 설치하는 경우가 줄어들고 있다. 하지만 지방에서는 여전히 자주 볼 수 있는 풍습이다.

리씨

베트남의 최대 명절 '뗏(Tết)'에는 여러 가지 풍습이 있는데 한국과 유사한 부분이 많다. 그 가운데 '리씨(Lì xì)'라는 것이 있다. 한국에서는 어른께 세배를 드리고 나면 덕담과 함께 세뱃돈을 주는 풍습이 있는데 이 세뱃돈이 리씨와 유사하다. 다른 점이 있다면 어린이 또는 결혼하지 않은 자녀들에게만 주는 것이 아니고 절을 해야만 준다든가 하는 법도 없다. 리씨는 누구에게나 줄 수도 있고 회사 내에서라면 동료 간에 줄 수도 있다. 다만 흰 봉투가 아니라 붉은색 봉투에 넣어 전하면 된다.

리씨는 적은 돈으로 전하는 것이다. 감사와 한 해의 행운을 기원하는 마음을 담아 주면 된다. 그래서 영어로는 'Lucky money for New year'이라고 한다. 한국에서는 세뱃돈의 의미가 변질되어 아이들이 받은 돈 액수의 많고 적음에 따라 어른에 대한 존경심도 올랐다 내려갔다 한다는데 이런 베트남 리씨의 풍습을 배울 필요가 있다. 리씨는 어린이가 집안의 어른에게 그해의 복을 빌며 지난해의 감사의 뜻으로도 전할 수 있으니 말이다.

이번 설 명절에는 붉은 리씨 봉투에 고마운 마음을 담아 주변의 수고한 베트남 사람들에게 전해 보면 어떨까 싶다. 아파트의 경비 아저씨, 우리 동을 담당하는 청소 아줌마, 매일 뙤약볕 아래 택시를 불러 주는 택시회사 매니저, 꼽아 보니 고마운 분들이 참 많다.

피부 미인

사이공 여성들이 가장 아름답다고 말하는 미의 기준은 무엇일까? 계란형 얼굴? 아름다운 눈? 높은 코? 붉은 입술? 아니다. 그 중 첫째는 '희고 고운 피부' 이다. 사이공 여성들은 한국 여성들의 피부가 아름답다고 칭찬한다. 사이공의 여성들이 한국 드라마를 보고 탤런트가 예쁘다고 하는 뜻도 같은 의미가 있다. "얼굴이 예쁜 게 아니고?"라고 묻는다면 셋 중 하나로 대답한다.

질문 상대가 한국인일 때, 예의를 차리는 친구라면 "물론 아름답죠" 이다. 거짓말하기 싫어하는 친구라면 '묵묵부답'일 가능성이 높다. 대놓고 말하기 좋아하는 친구라면, "한국 여자들은 다 뜯어 고친 거 아니에요?"라고 반문한다. 여기서도 한국 여성의 성형에 대한 열심은 얘깃거리가 된다. 그러면서도 부러워한다. 돈 벌면 한국 가서 고치고 싶다는 생각도 내심 한단다. 그래서인지 사이공에도 성형을 하는 클리닉이 늘고 있는데 많은 곳에서 한국 성형외과 의사를 초빙해서 운영한다. 그럼에도 그녀들이 한국 여성이 예쁘다는 데 동의한다면 모두 고운 피부에 첫째로 점수를 준다는 점이다.

흰 피부, 고운 피부에 대한 사이공 여성들의 집착은 병적이다. 외출할 때의 복장만 봐도 감이 온다. 큰 선글라스, 얼굴은 물론 목덜미까지 가리는 마스크, 챙이 넓은 모자, 손과 노출된 팔을 덮는 긴 장갑, 마지막으로 한국에서는 발가락에 질병이 있지 않는 한 신지 않는 발가락 양말도 여기 여성이라면 필수품이다. 모양은 같되 용도만 다를 뿐이다. 자외선 차단용 스커트도 빠질 수 없다. 오토바이를 탈 때 짧은 치마를 입은 경우에 아주 유용하다. 노출된 다리에 꽂히는 햇빛은 물론 음험한 시선도 막는다. 화장품 광고를 보라. 절대다수가 '미백 기능'이다. 한국 여성들이 피부를 건강하게 보이려고 인공 광에 태우기도 한다는 얘기를 이곳 여성에게 들려주면 깜짝 놀란다. 당연하다. 놔둬도 저절로 검게 타는 곳이 여기인데 그렇게 원하는 흰 피부를 태워대고 있다니. 세상이 불공평하다고 투덜댈만한 일이다. 그래도 어찌하겠는가. 미백 기능성 화장품을 발라도, 나갈 때마다 철통같이 무장을 해도, 뜨거운 태양 아래 그녀들의 피부는 쉬이 검어지고 늙어간다. 그녀들의 탄식도 깊어 간다.

문신의 역사

사이공의 젊은이들에게서 문신은 쉽게 볼 수 있는 피부 장식과 같다. 문신은 베트남어로 '쌈민(Xăm mình)'이라고 하는데 사이공의 많은 젊은이들이 문신을 감추기보다 자연스럽게 여긴다. 사실 한국 사람들에게 문신은 부정적인 이미지가 더 강하다. 어깨가 넓고 머리를 짧게 깎은 무서운 아저씨들의 전유물 같이 여겨지는 탓이다. 그런데 베트남 사람들이 기원전 3천 년 전부터 문신을 생활해 왔다고 하니 놀라지 않을 수 없다. 그런 정도라면 문신도 그들에게는 하나의 특별한 문화일 수밖에 없겠다. 이 문신의 기원은 '영남척괴열전(嶺南摭怪列傳)'에 실린 건국신화에 그 내용이 담겨 있다. '영남척괴열전(嶺南摭怪列傳)'은 14세기 후반 편찬된 베트남의 신화전설집이다. 이 책은 한문으로 쓰였는데 작자는 알려져 있지 않다.

베트남 최초의 고대국가인 반랑국의 훙왕(Hùng Vương) 때에 숲과 산야에서 사는 백성들이 강에서 물고기를 잡았는데 때때로 이무기가 나타나 백성들을 공격해 해를 입혔다. 그래서 왕에게 어려움을 호소하였더니 왕이 말하였다.
"산지에서 사는 백성들(베트남 사람)은 물에 사는 족속과 다르다. 이무기는 자기 족속은 좋아하지만 다른 부류들은 싫어해 너희를 공격하는 것이다."

왕은 백성들을 보호할 방책으로 사람을 시켜 백성들의 몸에 먹으로 용왕의 모습과 수중괴물의 형상을 새기게 하였다. 이후로부터 백성들은 강에서 일할 때에도 이무기에게 물리거나 해를 입지 않게 되었다. 문신하는 풍속이 이때로부터 시작되었다고 하니 베트남 사람의 문신 역사가 얼마나 오랜 것인지 짐작이 될 것이다. 아마도 인류 역사상 가장 오래된 문신문화를 가지고 있다 해도 과언이 아닐 듯하다.

베트남 사람들에게 있어 문신의 필요성은 외세 침략기에 더욱 높아졌다. 쩐(Trần) 왕조 시절 원나라가 침공했을 때 군사들은 한결같이 몸에 '삿탓(Sát Thát)'이라는 두 글자를 문신으로 새기고 전장에 나섰다고 전한다. 이는 '殺掉', 즉 몽골족인 타타르족을 죽이자는 뜻이었다. 이런 시절의 문신은 조국 강산과 민족을 지키기 위한 의지를 상징하는 것이었고 모두에게 신성한 결의같이 받아들여졌을 것임이 틀림없다.

물론 현대에 와서 문신에 대한 부정적인 이미지가 베트남에도 있다. 공무원들이나 교육계에 종사하고 있다면 문신은 꿈에도 꾸질 말아야 한다. 하지만 이런 역사적 배경으로 인하여서인지 젊은 남녀들이 문신을 했다고 해서 대놓고 비난하는 사회분위기는 아니다. 젊은이들이 문신을 자기 정체성에 대한 한 가지 표현 방식으로 삼고 있음을 받아들이기 때문이다.

장식 본능

사이공 사람들의 피에는 '장식(裝飾) DNA'가 담겨 있다. 그들의 심장에는 장식에 대한 본성이 꿈틀거리며 뿜어 나온다. 거리의 집을 보면 한 주택업자가 개발하여 공급하는 주택들일지라도 같은 것이 없다. 같은 주택이 열 채가 늘어서 있어도 입주하는 사람마다 다만 뭐 하나라도 바꾸어 놓아 다른 집과 구별되게 한다. 그것은 색깔일 수도 있고 발코니 형태일 수도 있다.

사이공에서 빌라나 아파트를 분양할 때, 한국은 기본적인 인테리어 마감이 되어있는 상태를 선호하지만 사이공에서는 누드 분양이라는, 최대 페인트칠 정도로 끝낸 상태를 좋아한다. 그들은 자기들이 직접 인테리어 회사를 고용해서 자신들의 입맛에 맞는 집을 꾸미기를 원한다. 단번에 완성된 상태에서 입주하기만 하면 되기를 원하는 한국 사람들의 취향과는 사뭇 다르다. 사이공에서는 유명 개발회사에서 고급아파트를 분양한다고 인테리어 마감까지 마친 세대를 입주 후에 다 뜯어내고 다시 공사하는 사람도 본 적이 있다. 그러니 사업을 하면서 고급 인테리어로써 분양 성공의 신화를 쓰겠다고 하는 것은 외국인들만의 생각인지도 모른다. 모델하우스도 마찬가지이다. 우리는 모델하우스에 가면 자기의 집이 그렇게 될 것이라는 기대를 품고 보게 되지만 사이공 사람들에게 모델하우스는 모델하우스일 뿐이다. 공간을 경험하는 것 이상이 아니다. 그들은 참고용 샘플로서만 모델하우스를 본다.

이런 DNA를 가진 사이공 사람들이니 자기 집을 처음 가질 때 얼마나 꾸미고 싶은 것이 많을까. 꿈꾼 것들, 하고 싶은 것을 모두 그 공간에 다 풀어 놓고자 하는 의욕이 넘친다. 그래서 그런 집의 첫 손님으로 초대받고 나면 너무나 복잡한 내부에 어지럼증을 느낀다고 한다. 그들의 본능이 빈 공간을 참아내지 못하기 때문이다. 그러고 보니 공간을 꾸미는 일도 단계가 있는 듯싶다. 처음에는 채우는 데 집중하지만 시간이 지날 수로 덜어내는 일을 생각하게 되니 말이다. 지금의 사이공은 채워가는 단계이다.

이발로 누리는 호사

 이발을 한다는 것은 사이공에서 누릴 수 있는 몇 가지 호사 중의 하나를 경험한다는 것이다. 사이공 이발소의 이름을 보면 세종류 정도로 구별할 수 있다. 'Uốn Tóc'이라 쓰인 곳은 '미용실'로 여성들이 이용하는 곳이다. 'Cắt Tóc'은 여성, 남성이 모두 이용할 수 있으며 단순히 머리를 자르는 곳 정도로 이해하면 된다. 내가 찾는 곳은 'Hớt Tóc'으로 남성 전용 이발소이다.

 'Hớt Tóc'에서는 이발, 세발(샴푸), 면도, 안면 마사지, 귀 소제, 손발톱 소제 등을 서비스한다. 일반적으로 이발만 하는 경우는 깜짝 놀랄 정도로 저렴하다. 위의 모든 서비스를 다 받는다 해도 외국인을 전문으로 상대하거나 1군이나 3군 중심에 있는 업소만 아니라면 감동할 만하다. 개인적으로는 시내 한복판의 이발소를 추천하지 않는다. 일반 사이공 남자들이 이용하는 변두리를 찾으라. 의외로 위생적이고 단정하고 정성스럽기까지 하다.

 여기서의 이발이 호사가 되는 이유는 손발톱 소제를 받을 때 특별히 느낄 수 있다. 두 사람이 붙어서 정성스럽게 손톱과 발톱을 정리해 준다. 조심스레 물을 뿌리고 깎아내고 잘게 일어선 주변 피부들을 정리하고 부드럽게 갈아낸다. 정리가 끝나면 갑작스레

예뻐진 손발톱을 눈으로 확인할 수 있다. 낮은 비용에 두 사람의 인원으로 아름다운 결과를 내니 호사가 아닌가. 한국이라면 어림도 없는 서비스이다. 이 덕에 외로이 방구석에서 발톱을 깎고 방 더럽혔다고 타박 받을 일도 없다. 그리고 무엇보다 계산할 때가 되면 저렴한 비용에 행복하면서 쬐끔 미안해진다.

아마도 불과 몇 년 후엔 이런 서비스도 점점 가격이 올라가면서 내용 또한 변해 갈 것이다. 그냥 '이발소'와 '모범 이발소'가 있는 한국처럼 말이다. (무슨 이발에 '모범'이 있단 말인가?) 그때가 되면 이런 호사도 끝일 테니 미안한 마음은 접고 누리자. 잠시 누리는 사소한 호사에 감사하면서 말이다.

선이 없는 인터넷

처음 베트남에서 업무를 시작했을 때, 사무실을 세팅하기 전까지 나는 리트엉끼엣(Lý Thường Kiệt) 거리에 위치한 은행의 본점에서 근무해야 했다. 출근한 첫날, 10층의 사무실에서 혼자 앉아 앞으로 사용할 새 사무실 건물을 검토해야 했다. 환경도 익숙하지 않았고 장비도 충분치 않아 모든 것이 불편했을 때였다. 말이 통하지 않는 건 당연했고, 9시 출근에 익숙한데 7시 30분부터 일을 하려니 어색했고, 1시간 30분이나 되는 긴 점심시간도 이상했고, 무슨 일을 하려고 하면 제대로 갖춰진 도구가 없었다. 그래도 사용하던 랩톱 컴퓨터가 있어 첫 날부터 일을 처리할 수 있었으니 얼마나 다행스럽던지. 컴퓨터를 인터넷에 연결하고 자료를 다운로드하고 업무를 시작하려던 참이었다. 그런데 인터넷 케이블이 없다!

책상 아래로 들어가 살펴도, 바닥을 아무리 뒤져봐도 인터넷을 위한 네트워크 케이블을 발견할 수 없었다. 이런! 누가 어색하고 불편한 상황을 개선해 달라고 요구라도 했나, 아무리 그래도 일을 할 수 있도록 최소한의 환경은 만들어 줘야 하지 않는가. 짜증이 머리 꼭대기로 한방에 달음질쳐 올라갔다. 심호흡을 두 번 하고 머리를 식힌 후 품위 있는 외국인으로 돌아와 관리팀에 전화를 했다. 잠시 후 비서실 여직원 한 사람이 문을 열고 들어섰다. 그녀는 내 앞에 와 서더니 살짝 미소 지으며 작은 메모지 하나를 놓고 다시 나간다. 이게 무슨 시추에이션? 인터넷 케이블 찾아 달랬더니 쪽지만 달랑 놓고 간다? 쪽지를 보았다. 은행 이름이 쓰여 있었고 아래에는 여덟 자리의 숫자가 적혀 있었다. 이것을 어찌하란 말인가? 내게 필요한 것은 내 랩톱의 인터넷 단자에 연결할 케이블일 뿐인데. 다시 관리팀에 전화를 걸었다. 약간 목소리를 높여 다시 요청했다. 인터넷을 연결해 달라니까요? 케이블이 어디 있는지 찾을 수가 없어요. 상대가 대답한다. 정보를 드렸다는데요? 무슨 정보? 와이파이요. 와이파이⋯, 그게 뭐지?

직원 하나가 다시 올라와 문을 똑똑 두드리고 들어온다. 그는 잠시 내 얼굴을 훑어본 후 랩톱 컴퓨터를 만지작거리더니 연결하는 케이블도 없이 인터넷을 연결해 주었다. 그렇구나, 와이파이. 인터넷을 선도 없이 쓰는구나, 여기서는.

당시 일인당 국민소득 1천 달러도 되지 않는 국가에 와서 나는 무선 인터넷이라는 것을 처음 접해보게 되었다. 내게 와서 인터넷을 연결해 준 직원도 의아하게 생각했을지 모른다. 아마도 내가 무선 인터넷에 경험이 없다는 것은 생각하지 못하고 내 경력에 대해 의구심만 품고 갔을지도 모른다. 저 사람 제대로 뽑은 것 맞아? 하면서.

2007년에 인터넷강국 대한민국은 여전히 유선 인터넷을 사용하고 있었다. 그리고 베트남은 동남아시아에서 가장 인터넷 보급 속도가 빠른 나라 중의 하나로 이미 무선인터넷을 경험하고 있었다.

낮잠

리트엉끼엣(Lý Thường Kiệt) 사무실에 출근하던 첫날, 무선 인
터넷으로 한바탕 해프닝을 벌이고 난 같은 날의 일이다. 오전 동
안 일할 환경을 만들고 웃지못할 일까지 겪은 터라 점심시간이 꽤
나 반가웠다. 게다가 해외 체류 첫날의 첫 점심 식사 아닌가? 회
사 주변을 살피다 정갈해 보이는 한 식당을 찾아 들어갔다. 그런
데 여기서도 당혹감을 느끼기는 마찬가지였다. 메뉴를 읽을 수가
없다! 그래도 메뉴판 위의 베트남어와 베트남어 단어 사이를 헤집
고 집중력에 집중력을 발휘하여 음식 하나를 찾아냈다. 이름하여
'껌찌엔하이산(Cơm chiên hải sản)!' 해산물 볶음밥이다. 어렵게
찾은 보람이 있었다. 맛이 있다. 함께 주문하는 오렌지 주스(Nướ
c ép cam)도 환상적이었다. 앞으로 매일 다른 걸 주문해서 맛을
봐야지 하고 생각하니 오전의 사건은 아무렇지도 않고 오히려 배
실배실 웃음이 나왔다. 자고로 사람은 어쨌거나 배를 먼저 채워
야 한다.

식사를 마치고 사무실로 올라가려는데 1층의 은행은 문을 닫은
채였다. 2007년 사이공에 있는 대부분의 베트남 회사에서는 점심
식사를 마치면 낮잠을 즐겼다. 은행도 예외는 아니어서 당시만 해

도 점심시간에는 셔터를 내렸다. 낮잠을 배려하다 보니 점심시간도 1시간 30분으로 긴 편이었다. 그래도 이런 상식은 있었던지라 조심스럽게 비상구를 통과해 엘리베이터에 올라 9층에서 내렸다. 내가 있던 10층 사무실은 9층에서 내려 강당을 통과하여 계단으로 한 층 더 올라가게 되어있었다. 엘리베이터 문이 열렸다. 어두운 강당의 풍경이 눈앞에 펼쳐졌다. 그런데 이건 뭔지···?

강당 안에는 사람들이 바닥에, 책상 위에, 의자에, 시체처럼 널려 있었다. 남녀가 따로 없었다. 처음 그것을 보았을 때의 섬뜩함이란! 내가 사이공에 왔을 때 제대로 놀란 것은 오토바이 행렬이 아니었다. 바로 첫 출근 날 점심 식사를 마치고 나서의 이 장면이었다.

곧 알게 된 일이지만 점심 식사 후 사이공의 직장인들은 이렇게 '열심히' 잔다. 그냥 자는 게 아니라 사무실에 취침용 깔개와 베개도 마련해 두고 잔다. 2023년, 지금의 우리 직원들도 그렇다. 이해가 간다. 그 뜨거운 날에 일을 하다 보면 아무리 실내에 있어도 쉽게 지치고 힘이 든다. 그럴 때 잠은 최고의 원기회복제일 수밖에 없다. 그럼 나는? 나도 물론 잔다. 식사 후 잠시 책을 보다 십 오 분 정도 눈을 붙이면 그렇게 개운할 수가 없다. 오후 일과를 상쾌하게 시작할 수 있다. 그런데 가끔 예의 없는 사람들이 있다. 우리와 두 시간의 시차를 둔 한국에 계시는 분들, 제발 거기 일과를 시작했다고 전화 걸지 마시라. 우리는 잠을 청하고 있다.

하나 더. 둘째 날부터의 점심 식사는 어땠는지 궁금하지 않은
지? 그게 생각보다 쉽지 않더라는 것이다. 그래서 결국 첫날 점심
식사 이후로 리트엉끼엣 사무실에서 생활한 두 주일 내내 해산물
볶음밥만 먹고 오렌지 주스만 마셨다.

비의 폭격

한국의 여름날 무더위를 식혀주는, 쏟아지는 장대비는 보기만
해도 시원하다. 그런 비를 바라보면 마음도 덩달아 시원해진다.
비 내리는 마당을 바라보며 아버지께서 한마디 하셨다.

"비 한번 장(壯)하게 내린다."

그런데 사이공에서는 그런 장대한 비를 우기 내내 지겹도록 보
아야 한다.

사이공의 오토바이 라이더(Rider)들은 비를 구별한다. 달릴 수
있는 비가 있고 달릴 수 없는 비가 있다는 것을 안다. 처음 오토바
이 타는 것을 배우고 막 재미가 느껴질 무렵 궁금증이 일었다. 저
들이 멈추어 서는 비라고 해서 달릴 수가 없는 것일까? 쏟아지는
빗속을 달려보고 싶은 욕망이 꿈틀거렸다. 그리고 우기의 어느
날 자유 질주의 욕망을 마음껏 빗속에서 발산해 보았다. 어땠냐
고?

참아야 한다. 내 대답은 '참아라' 이다. 사이공을 달리는 오토바
이 도사들에게 그런 질주본능이 없어서 비가 온다고 멈추는 것이
아니다. 오토바이 도사들이 피가 끓지 않아서 고가 교각 옆에 기
대서서 비가 멈추길 기다리는 것이 아니다. 이 사람들은 비를 바

라보며 본능적으로 멈출 때와 달릴 때를 안다. 그러니 사람들이 멈춰서 우비를 꺼내면 여러분도 꺼내고, 비 피할 곳을 찾아 아예 시동을 끈다면 여러분도 그렇게 해야 한다.

왜 그런지 궁금하다면 그들이 건물 아래로, 고가 아래로 삼삼오오 모여 몸을 피했을 때 뛰쳐나가 속도를 높여 달려보라. 내가 겪은 경험이 무엇인지 여러분의 얼굴이 증명해 줄 것이다. 빗속을 뚫고 자유를 외치며 달리던 환희의 얼굴이 불과 10분도 되지 않아 따귀라도 맞은 듯 벌겋게 탱탱 불어 오르고 눈가엔 눈물이 가득해질 테니까.

사이공의 9월과 10월은 비가 많은 달이다. 4월 말부터 우기가 시작되어 11월 말이면 건기로 넘어가는데 이 가운데 9월과 10월이, 특히 오후에 비가 많다. 그래서 사이공 사람들의 오토바이 안에는 우비가 상비되어 있다. 갑자기 비구름이 몰려오면 달리던 오토바이들이 일제히 멈춰 서서 모두가 우비를 뒤집어쓴다. 진풍경이다.

사이공의 우기는 한국의 장마와 달라 훨씬 견디기가 수월하다. 종일 비가 내리는 지루함도 없을뿐더러 비가 그친 후에는 시원한 바람이 대지를 식혀주어 생각보다 불쾌지수도 높지 않다.

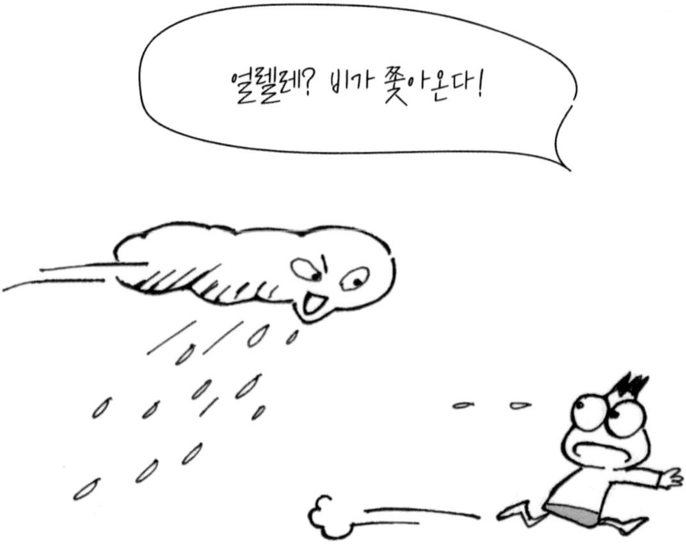
얼렐레? 비가 쫓아온다!

오토바이도 준비가 필요해

　사이공에서는 작고 호리호리한 아가씨들도 오토바이를 잘 몬다. 자기보다 덩치 큰 스쿠터형 오토바이를 몰면서도 그 혼잡한 도로를 뚫고 가는 걸 보면 절로 감탄이 나온다. 그런데 오토바이는 그냥 타는 게 아니다. 준비가 필요하다.

　사이공 여성들은 흰 피부에 대한 집착이 있다. 하얗고 고운 피부는 미인의 상징이다. 하지만 이렇게 더운 열대기후에서 어찌 흰 피부를 유지할 수 있겠는가? 그러나 그것은 어리석은 질문이다. 당장에 한낮에 거리로 나가보라. 햇빛과 싸우기 위해 온몸의 노출된 피부를 자신만의 전투복으로 가린 채 용맹하게 오토바이를 모는 여전사들을 쉽게 만날 수 있다.

　그들의 전투복은 헬멧 안에 쓴 챙 모자와 선글라스, 우리나라에선 볼 수 없는 목까지 가리는 특별한 스타일의 마스크, 어깨까지 올라오는 긴 장갑형 토시, 그리고 피부색의 짧은 스타킹으로 마무리되어 있다. 여기에 웃옷을 더 걸치는데 우리가 '후드티'라 부르는 그것이다. 이 옷은 매연 냄새가 배어드는 것을 막는 목적도 겸한다. 그녀들에게 한국 젊은 여성들이 일부러 피부를 검게 태운다고 얘기하면 신기하게 듣는다. '피부 미인'에서도 썼듯이 한국 여성들의 희고 고운 피부가 그들에게 동경의 대상인데 어찌 그걸 그리 학대할 수 있는가 하는 표정이다. 이곳에서 그런 한국 여성의 이야기는 생소한 것이 아닐 수 없다.

지금은 모두 헬멧을 쓰지만 규제 전만 해도 여성들은 온갖 스타일의 모자를 즐겨 썼다. 하얀 모자를 쓴, 까맣게 빛나는 머리칼을 날리며 나풀거리는 아오자이를 입고 오토바이를 타는 젊은 여성의 모습은 이국적이면서도 매력적이다. 차량과 오토바이가 경적 소리와 함께 섞여 제대로 짜증나는 도로 위에서 이런 여성들의 차림새는 청량제와도 같았다.

시내에서 헬멧 착용이 의무화된 이후 여성 헬멧은 순식간에 '패션 헬멧'이라는 이름으로 바뀌어 갔다. 처음엔 헬멧에 천으로 된 캡을 함께 사용하는 제품이 나오더니 이내 각종 색상과 스타일의 헬멧이 등장했고 사람들은 이것을 패션 헬멧이라고 불렀다. 그러나 교통사고 시 패션 헬멧의 위험이 알려지면서 판매와 착용이 금지되었다. 그렇다 해도 사이공 여성의 미의식이 어디 가겠는가? 안되면 예쁜 스티커라도 부착하는 것이 그녀들이다.

오토바이는 사랑을 싣고

사이공의 젊은이들에게 오토바이는 이동의 절대수단이지만 그 것만이 전부는 아니다. 특별히 오토바이는 연인을 위한 사랑의 도 구이다. 그것은 유혹의 수단이고 사랑의 벤치이며 서로의 감정을 확인하는 장소이기도 하다.

직접 눈으로 확인하고 싶다면 어둑어둑 해가 질 저녁 무렵 공원 과 사이공 강변으로 나가 보라. 어느 공원에서라도, 그늘진 어느 강변에서라도, 당신은 이 독특한 연애 풍경을 목격할 수 있다.

한번은 베트남 친구가 레반땀 공원(công viên Lê Văn Tám) 근 처에서 만나자 하기에 "아, 꽁비엔 옴(công viên Ôm)?" 했더니 배 를 잡고 웃는다. 레반땀 공원은 시내에 있는 유명한 공원인데 해 만 떨어지면 많은 젊은이가 오토바이를 타고 모여 와서 공원 주변 에 그들의 오토바이를 세워놓고 그 위에 함께 앉아 데이트를 즐기 는 곳이다. 차를 타고 가다 공원 주위에 오밀조밀 붙어있는 모양 이 우습기도 했던 기억에 '꽁비엔 옴'이라고 대꾸했더니 그걸 들 은 베트남 친구는 웃음을 멈추지 못한다. 'công viên Ôm'이란 우 리말로 하면 '포옹 공원' 쯤 되리라. 지금은 레반땀 공원의 담장이 철거되어 이런 풍경은 사라졌지만 어느 공원과 어느 다리, 그리고 어느 강변에서 당신은 여전히 이런 연애 풍경을 목격할 수 있다.

사이공에서 오토바이가 없다면 아마 연애도 못 할 것이다. 고가의 오토바이를 소유한 총각이 그것으로 처녀에게 점수를 더 따는 것은 확실하다. 베트남판 오렌지족이라고나 할까? 그렇다고 가난한 연인의 행태가 다르지는 않다. 자랑할 비싼 오토바이는 아닐지라도 그들은 그들만의 애마를 몰고 휴일에, 밤 시간에 그들만의 시간을 찾아 거리로 나간다. 애인의 허리를 팔로 동이고 서로의 체온을 나누며 그들의 목적지로 간다. 때로는 목적지 없이 다른 오토바이 물결과 함께 거리에 휩쓸려 다니기도 한다. 크리스마스 때와 같이 특별한 날의 밤에 시내를 나가는 것이 곧 '죽음'인 것은 이런 오토바이 데이트족의 쓰나미에 걸려들 것이 확실하기 때문이다. 그들만의 목적지에 도착한 젊은이들은 하나의 오토바이 좌석을 둘이 공유한다. 그리고는 그들만의 밀어를 속삭인다. 벤치를 선점한 부지런한 연인들에게 오토바이는 좋은 가림막 노릇도 한다. 그래도 사랑하는 젊은 연인들은 어디서든 예쁜 법이다.

물어보았다. 왜 공원엘 그렇게 가느냐고.

돌아오는 대답은 환상을 깨는 것이었다.

돈이 없어서이지요. 돈이 있으면 카페에 가지 왜 거리에 있겠어요?

아, 그렇구나. 아무리 달콤하더라도 사랑 역시 현실이니까.

그런데 최근에 와서 오토바이가 젊은이들의 전유물만이 아님을 알았다. 결혼하고 아이까지 둔 우리 직원이 얘기하길 오토바이는 부부 싸움 이후의 화해에도 유용하단 것이다. 한 판 주고받은 후 미안하다는 말 꺼내기도 서로 멋쩍어 질 때 함께 오토바이를 타고 나와 보란다. 남편의 불룩한 배를 아내가 감싸고, 감은 그 손에 자기 손을 한번 포개 잡아주면 저절로 남은 화도 미안함도 바람에 날린다나 어쩐다나.

대답 없는 너

사이공의 택시기사들은 친절하다. 내가 사이공 생활 중 가장 만족스러운 열 가지를 꼽는 가운데 택시 서비스를 포함시키는 것에 그 이유도 있다. 그런데 간혹 택시기사들 중에 이런 내 호감을 흔드는 사람들이 있다.

"디엔비엔푸(Điện Biên Phủ) 308번지 갑시다."

"……."

대답이 없다. 발음이 좋지 않은가? 성조를 잘못 썼나? '친절한' 나는 다시 한 번 자세히 말한다.

"보티사우(Võ Thị Sáu)로 해서 가다가 응우옌트엉히엔(Nguyễn Thượng Hiền) 방향으로 가면 돼요."

"……."

이 정도면 불안해진다. 어디 가는지 아는 건가?

"아인어이! 아인 히에우 쯔어?" (Anh ơi! Anh hiểu chưa?)

신경질이 밴 금속성 톤을 목소리에 끼워 넣었다. 그제야 대답한다.

"오케이"

뭐가 오케이지?

한국 사람들끼리 하는 속된 말로 '생깐다'라는 표현이 있다. 품위 있는 교양인으로서 이런 표현을 쓰는 것이 바람직하지 않지만 대답을 듣지 못하는 이런 경우에 그 속된 표현이 머릿속을 맴돈다. 그러나 이런 일에 분을 내며 힘을 뺄 필요는 없다. 사실 그는 다 알아들었다. 다만 대답을 안 했을 뿐. 잘못 알아들었거나 내 발음이 영 시원치 않았으면 되묻는다. 만일 그렇지 않았다면 대부분의 경우에 그는 이해했고, 이해했으니 대답을 할 필요가 없다고 생각했을 뿐이다… 라고 이해하기로 결심했다.

술 한 잔하고 늦은 밤 귀가하다가 이렇게 대답 없는 택시기사에게 열이 받아 날 무시하는 거냐, 대답은 왜 안 하냐 흥분해 난리를 치는 사람이 있다. 정말 주의해야 한다. 여기는 한국이 아니다. 내가 아는 사람 중에 지금은 한국으로 돌아간, 성질 좀 있는 젊은 친구가 있었다. 그는 듣기로 두 차례 택시기사에게 폭행을 당했다. 그런데 사유가 이것이었다. 그는 택시기사가 나쁜 놈이라고 사이공은 살 데가 못 된다고 욕에 욕을 거듭했지만 그의 성격을 아는 나는 그의 모든 변명에 동의할 수 없었다. 게다가 술까지 마시고 취했으니. 다시 말하지만 여기는 한국이 아니다. 우리가 주인이 아니다. 객일 따름이다. 모든 상황에 우리의 요구를 먼저 할 게 아니라 그들의 방식을 이해하는 것이 우선이다. 그래야 우리의 요구가 쉽게 접수된다. 이것은 이방인으로 외국에서 사는 사람의 지혜이다. 외국에서 그 나라 사람과 시비를 붙는 것은 위험천만한 일이다.

사이공 사람들은 온순하고 친절하다. 눈이 마주치면 미소 짓고 쉽게 얘기를 나누며 가까워진다. 하지만 무시를 당했다고 생각하면 돌변한다. 우리에게 '욱' 하는 성질이 있다면 그들에게는 '뒤끝'이 있다고 나는 주재원들에게 우리가 먼저 조심할 것을 가르친다. 사이공 기사들과 얘기해 보면 그들은 한국인들이 화를 잘 낸다고 평한다. 알아들어 대답을 안 할 뿐인데 금방 목소리를 높인다고 한다. 온유함은 나보다 힘이 있는 사람에게 아니라 나와 더불어 사는 사람, 특별히 나보다 약한 이들에게 가져야 하는 미덕이다. 성경에 '모세'라는 이의 이야기가 나오는데 그는 이스라엘 민족을 이집트에서 해방시킨 영웅이있다. 홍해가 살라지는 기적으로 많은 사람이 그를 알고 있다. 청년 시절의 그는 잘난 데다 가슴에 뜨거운 열정을 품고 있던 '상남자' 였다. 그는 불의를 두고 보지 못한 성격 탓에 격분하여 이집트 관원을 죽이고 도망자 생활을 한다. 그런데 40년이 지나고 광야에서 백성들을 이끄는 그의 모습을 보면 여전히 비전의 열정에 사로잡혀 있지만 한 가지가 보이지 않는다. '혈기'이다. 젊은 시절, 정의로 포장되었던 그의 혈기가 백성들을 이끄는 리더의 모습에서는 사라지고 없다. 성경의 '민수기'라는 부분을 보면 그에 대해 이렇게 평한다.
　'그는 온유한 사람이다.'
　내가 대답 없는 기사에게 흥분하지 않을 때가 되면, 아마도 사이공을 이해하기에 세월이 충분했고 나는 온유한 사람이 되어 있을 듯하다.

어머, 애 좀 봐

베트남에 살다 보면 조심해야 할 일이 있다. 그중 하나가 상대가 한국말을 이해하지 못하는 줄 알고 함부로 말해 봉변을 당할 수 있다는 점이다.

사이공에 온 지 얼마 지나지 않아 시내에 있는 K모 한국기업 사무실을 방문할 기회가 있었다. 일행과 함께 엘리베이터에 오른 나는 무심결에 K사에 대한 이야기를 꺼내며 최근 그 회사에 관하여 들은 어떤 얘기를 동행과 나누었다. 엘리베이터에는 베트남인 여성만 있었으므로 설마 알아듣겠나 하는 생각이었다. 건물 8층에 엘리베이터가 서자 함께 엘리베이터 안에 있던 이 아가씨, 우리보다 먼저 내렸는데 우리가 뒤따라 내리는 것을 확인하더니 돌아서서 인사를 꾸벅한다. 순간, 아뿔싸, K사 직원이었구나 하는 생각이 머리를 때렸다.

"안녕하세요? 저희 회사를 찾아오셨어요?"

아가씨의 한국어 발음은 너무나 유창했다. 그래도 K사의 최근 사업 성장에 대해 얘기했던 것이라 다행이지 만일 K사 법인장 욕을 했거나 회사에 관해 좋지 않은 말을 입에 담았으면 어쨌겠나 싶었다.

이후로 엘리베이터와 같이 밀폐된 공간에서는 특히 말을 조심하는 버릇이 생기게 되었다. 업무시설 같은 곳에서는 영어도 잘하거니와 한국어도 유창한 베트남 사람들이 꽤 있기 때문이다. 못 알아들을 줄 알고 얘기하다 낭패를 당할 수도 있다.

직원이 전해 준 에피소드가 있다.

그는 한국 본사에서 파견된 주재원인데 사이공 생활을 한 지 6년 정도 되었을 어느 날의 일이었다. 퇴근하여 아파트의 자기 집으로 가려고 엘리베이터에 올라 층 버튼을 누르고 문이 닫히는 것을 무심히 보고 있을 때였다. 문이 거의 닫히려는 찰나, 갑자기 손이 쑥 들어오며 거칠게 엘리베이터 문을 다시 여는 사람들이 있었다. 오십 대의 한국인 부부였다.

아무 생각 없이 서 있던 그는 갑자기 나타난 손으로 인해 닫히던 엘리베이터 문이 큰 소리를 내며 다시 열리자 깜짝 놀란 표정을 지었던 듯하다. 이런 그의 표정을 본 부부 중 여자가 덩달아 눈을 동그랗게 뜨며 남편을 쳐다보고 말했다.

"어머, 얘 좀 봐. 놀랐나 봐."

우리 직원, 한국인이었다. 당연히 한국말을 잘 이해한다. 40대 중반이니 물론 애도 아니다. 잘못된 상황이란 것을 깨달은 남편, 얼른 부인을 엘리베이터 구석으로 잡아끌며 말했다.

"한국인이야. 한국인."

우리 직원, 그때는 정말 한마디 해주고 싶었다고 한다.

"그 말도 들리거든요?"

다 들린다니까?

코를 판다

남자들에게는 나이에 따라 내용의 차이가 있을지라도 그들만의 판타지가 있다. 남자는 연약하고 예민하며 섬세하다. 남자는 꿈을 먹고 사는 부류이다. 당연히 여자와 비교할 때의 이야기다. 무슨 소리냐고? 지저분하고 우악스러우며 게으른 남자와 어찌 여성을 비교하느냐고? 보라, 그건 당신이 남자이기 때문에 하는 소리이다. 바로 당신이 판타지에서 빠져나오지 못하고 있다는 증거이기도 하다.

어떤 글에 남자가 사랑에 빠지는 유통기한이 2년이라고 적혀 있었다. 왜일까? 하나의 대상을 향한 남자의 꿈이 깨는데 최소한 그 정도의 시간이 필요하기 때문이다. 당신은 철이 제법 들 때까지 여성과 화장실을 결부시켜 생각할 수 없었다는 것에 동의할 것이다. 모든 남자가 그렇다. 우리 남자들은 모든 그런 꿈에 빠져 살아왔다. 뭐 때문에 장광설이냐고?

비난을 감수하고 좀 더 늘어놓자.

사이공의 젊은 여성들은 아름답다. 꾸미지 않아도 아름답다. 그들만의 독특한 매력이 있다. 그것은 언밸런스한 매력이다. 젊음,

오토바이, 태양, 검은 생머리 그리고 아담하지만 굴곡이 살아있는 선, 거기에 아오자이가 주는 신묘한 매력이 있다. 그런데 이 어여쁜 낭자들이 스스럼없이 코를 판다. 허걱!

코를 '판다' 하니 'sell'을 생각하면 안 된다. 리얼하게 표현하면 코를 '후빈다는' 얘기다. 물론 모든 이들에 해당하는 얘기는 아니다. 그러니 사이공 여성들이여, 이런 말을 하는 나를 비난하지 말기를 바란다. 그러나 가끔씩이라도, 더구나 전혀 그런 행동을 연상할 수 없는 상대가 그런 행동을 할 때 받는 충격은 단지 하나일지라도 전체가 그러는 것과 똑같이 여겨지는 것임을 이해해 달라.

내가 처음 근무했던 회사의 여직원들은 수준이 높았다. 학력이 그렇고 당연히 급여도 그렇다. 이 바닥에서는 제법 능력이 있다는 친구들이다. 게다가 외모도 떨어지지 않는다. 그런데 간혹 복도를 지나다가 코를 파는 그녀들을 보게 된다. 못 볼 것을 본 심장은 압력을 급격히 높이며 혈류량을 증가시킨다. 다시 허걱!

조심스럽게 물어보았다. 정말 조심스럽게 물어보았다. 그녀들이 똑똑한 것처럼 답도 항상 명쾌하다.

"지저분한 것들을 없애는 건데요, 뭘."

아, 그렇구나. 그것은 단지 코 안에 있는 지저분한 것을 제거하는 행위에 불과하였구나. 그러나 너의 정당하고 위생적이고 단순한 청결 행위가 나를 비탄에 잠기게 한 것을 너는 아는지. 아직도 꿈에서 깨어나지 못했음을 나는 반성해야만 한다. 그리고 기억할 일이다. 아오자이의 그 멋진 아가씨도 화장실에 간다.

쓸데없이 덧붙이는 말이지만 이건 아주 소수의 이야기를 뻥튀기한 바 있다. 그러니 모든 사이공 여성들이 그러리라고 생각지 말라. 하지만 그 자연스러운 행위를 처음 본 그 순간만은 내게 충격이었다.

눈이 있는 풍경

마침 한국에 도착해서 맞은 아침에 눈이 내린다. 숙소를 회사에서 그리 멀지 않은 곳에 정한 탓에 아침 출근길에 일부러 눈을 맞으며 걷는다. 몇 년 만에 맞이하는 눈인지. 낭만적이라는 게 이런 거겠지.

'상쾌하다….'

라는 생각이 채 가시기도 전에 쨍, 하고 귀가 아려 오기 시작한다. 이 나이에 웬 낭만 타령을 했는지 후회하는 사이에 귀의 통증이 코끝으로 몰린다. 택시를 탈까 했지만 아뿔싸, 회사까지 남은 거리는 택시 타기엔 불편하고 걷기에도 불편한 딱 그만큼이었다. 아픔이 커질수록 후회가 거침없이 밀려온다.

사이공 사람들이 한국에서 꼭 보고 싶어 하는 것 중의 하나가 눈이다. 눈 내리는 것을 보고 싶어 하고 눈 내리는 것을 맞고 싶어 한다. 그러나 그들은 모른다. 그들이 원하는 눈은 코가 시리고 귀가 쨍하니 얼어붙는 겨울날 내리는 눈이 아니라 따뜻한 방에 앉아서 바라보는 그저 눈이 내리는 풍경일 뿐이라는 걸.

누군가 물었다.

"어느 계절을 가장 좋아하세요?"

내가 대답했다.

"겨울이요. 눈이 내리는 거리 풍경을 좋아하지요."

"낭만적이시네요."

물론이다.

그러나 그대여, 나와 함께 눈 내리는 거리를 걷는 모습을 상상하지는 말아다오. 나 역시 사이공 사람들과 다름없어서 그 눈이 있는 풍경을 따뜻한 차와 함께 음악이 있는 카페의 커다란 유리창을 통해 바라보고 싶을 따름이니까.

아오자이의 멋

　나는 직접 눈으로 보기 전까지 '아오자이(Áo dài)'의 매력에 대해 제대로 알지 못했다. 지금은 아오자이가 단지 베트남을 상징하는 의복이 아니라 대표적인 문화코드라고 말한다. 아오자이란 '웃옷'이라는 단어인 'Áo'와 '길다'는 뜻의 'dài' 가 합성된 단어로 '긴 옷'이라는 뜻이다. 웃옷을 가리키는 단어이긴 하지만 실제로는 바지가 포함되어 있다.

　어떤 베트남 친구가 한복과 아오자이를 비교해 달라며 내게 물었을 때 나는 한복은 '물결'과 같고, 아오자이는 '바람'과 같다고 말해주었다. 아오자이는 바람이다. 바람을 부르고 바람을 흘려보내는 옷이다.

　아오자이는 다양한 매력적인 이미지를 품고 있다. 전통적인 옷이면서도 현대적이고, 젊은 사람들의 향기에 어울리는 듯하면서도 나이 든 사람의 품위를 담아내기에도 부족하지 않다. 개성적이면서도 단체성 역시 뛰어나다. 시골길에서 하굣길의 여학생들을 보고 있노라면 흰색의 아오자이를 입고 자전거를 타고 포장되지 않은 길을 지나는 그들의 모습에서 하얀 꽃잎들이 바람을 타고 날아가는 듯한 착각에 빠지게 된다. 그들의 명랑한 웃음소리가 햇살에 잘게 부서지며 반짝이는 것을 볼 수 있다. 하나로도 예쁘고 여럿으로 있어도 건강한 멋이 있다.

아오자이는 젊고 경쾌하다. 그러면서도 우아하다. 혼례식장에선 붉은 아오자이를 입은 여성을 본 적이 있는지? 연꽃 한 다발을 가슴에 안고 긴장감을 감추지 않은 채 서 있는 여성의 모습은 그녀가 안고 있는 꽃보다 더 꽃과 같다. 아오자이는 그래서 바람이다. 나풀거리며 만들어 내는 아오자이의 하늘거리는 긴 선은 바람이 그려낸 그림이랄 수밖에 없다. 아오자이의 단순한 선의 흐름은 이처럼 폭이 넓고 담아내기에 깊이가 깊다. 그저 아름답다 할 수밖에.

1945년대까지 아오자이는 주로 흰색이나 갈색, 검은색이 주를 이뤘는데 염색기술이 발달하지 않았던 이유가 가장 크다. 다양한 색상의 아오자이가 유행하고부터는 나이에 따른 구분이 생겼다. 흰색이 아오자이의 기본이지만 일반적으로 18세 이하의 의복에 해당했고, 성년이 되면 빨강이나 파란색, 미혼이지만 나이가 들었다면 가벼운 파스텔 계열의 색상을, 결혼한 여성들은 검은색이나 진한 색상의 아오자이를 입었다. 하지만 지금은 개성에 따라 형식과 색상에 구애받지 않고 입는다. 여성의 의복으로서 설명하지만 원래 아오자이는 남녀 구분 없이 입었던 옷이다. 남자들은 노동과 일상 활동에 불편하여 지금은 혼례나 제사 같이 특별한 행사에서만 착용한다.

아오자이에는 기성품이 없다. 옷을 맞출 때는 무려 24곳이 넘는 몸의 치수를 재야만 한다. 보기엔 단순해 보이지만 그 속에 멋을 담아 두기 위해 얼마나 많은 손길이 머무는 옷인지 모른다. 그래서인지 아오자이는 고유의 전통의상이면서도 시대를 초월하는 생명력을 갖고 사람들에게 사랑받아 왔다. 아오자이는 베트남 사람들의 문화적 자부심이다.

이 옷은 최초의 고대국가였던 반랑국에서부터 입어 온 옷이라 한다. 그만큼 역사가 오래되었다. 당시에는 단추가 왼쪽에 있었는데 중국의 영향으로 단추가 지금처럼 오른쪽에 배치되었다는 얘기도 있다. 하지만 유물에 나타난 아오자이의 모습을 지금과 비교해보면 많이 다르다.

현대적인 스타일의 아오자이의 원형은 18세기로 보고 있다. 당시 중남부 지방을 지배하던 응우옌(Nguyễn) 가에서 찐(Trịnh) 가가 지배하던 북쪽 지방 사람들과 차별화시키기 위해서 여성의 치마 착용을 금지하고 대신 바지를 입게 하면서 시작되었다고 한다. 하지만 실질적인 아오자이 스타일의 시작은 프랑스 식민시기인 1930년대부터이다. 개인의 개성을 중시하는 맞춤식의 아오자이는 1960년대 말에 등장했다. 이때부터 디자인의 변화가 풍부하게 이루어졌고 여기에 옷감과 색상의 다양화가 이루어지면서 아오자이 스타일에 많은 변화를 몰고 왔다. 꽃잎무늬가 자수된 아오자이와 화려한 문양이 새겨진 값비싼 실크가 아오자이 원단으로 사용된 것도 이때부터이다.

1975년 베트남 통일 이후에는 이 옷이 노동하는 데 적절치 못하고 퇴폐적이라 하여 약 10년간 착용이 금지되기도 했는데 그 사이에 아오자이는 해외에서 새롭게 평가되며 각광을 받았다. 몸의 선을 드러내며 달라붙는 상의, 좁은 소매, 우아하게 세워진 높은 깃, 색상 있는 바지의 화려한 꽃문양 등과 같은 독특한 디자인 요소들은 프랑스를 비롯해 유명 의상디자이너들의 작품에 영향을 주면서 유명세를 타기 시작했다. 국내에서는 1986년 도이머이 정책 이후 착용 금지가 완화되었고 지금에 와서는 다시 베트남의 문화 상징으로 명예를 회복하게 된 것이다.

옷맵시

사이공 아가씨들의 옷맵시는 독특하다. 화려하다거나 브랜드를 선호한다거나 하는 얘기가 아니라 그들만의 캐릭터가 있다는 얘기이다.

베트남 하면 떠오르는 이미지 중의 하나가 '아오자이(Áo dài)'이다. 아오자이는 베트남 여성들의 전통 복식이다. 우리로 치면 한복 격인데 그것이 가지고 있는 고유의 아름다움으로도 그만이지만 일상생활에서 빈번히 입는데다가 베트남 여성 누구라도 그 멋을 소화하는 것을 보면 아오자이는 다른 어떤 나라의 고유의상과 다른 차별성이 있는 듯하다. 이 아오자이로부터 사이공 여성들의 옷맵시를 추론할 수 있다. 중요한 포인트는 아래와 같다. 메모해 두시라. 신체의 굴곡을 드러내는 상의, 편의성을 강조한 바지, 흘러내리는 원단의 감촉, 그리고 흰색.

아오자이만이 아니다. 거리에서 확인해 보자. 대부분의 여성이 몸에 달라붙는 길지 않은 상의나 원피스를 입고 다닌다. 그리고 그 의상의 대부분은 가슴을 강조한다. 한국 여성 같으면 얼른 옷깃을 여미거나 브로치로 고정할 법한 의상도 스스럼없이 입는다. 이들은 이러한 의상을 여성성을 강조하는 예쁜 옷으로 본다. 그래서 한국인이 처음 옷 가게를 열고나서 우리 식으로 생각하고 품이 넉넉한 옷을 들여놓았다가 낭패 보는 경우가 많다. 아무리 예쁜 옷도 일단 몸의 선을 가리면 밀쳐 둔다.

옷의 색도 문제가 된다. 의류를 취급하는 분들은 베트남에서 실패하지 않는 색이 '흰색'이라고 말한다. 맞다. 흰색에 대한 선호도는 어느 색보다 최고이다. 백의민족을 표방하는 한국 사람들을 무색하게 한다. 그 외에 붉은 계통의 색상을 선호한다.

젊은 여성의 바지 역시 우리나라 스타일과 달리 몸에 꽈악 끼게 입는다. 그리고 엉덩이 부분의 길이가 짧다. 때문에 오토바이 뒷좌석에 탄 아가씨들 중에는 혹간 자기 엉덩이 살을 뒷사람에게 보여주는 민망한 경우가 생기기도 한다.

원단은 어떨까? 더운 나라임에도 불구하고 우리가 여름에 즐겨 입는 시원한 '마' 종류는 천대받는 옷감이다. 실크를 선호하는 것은 그렇다 해도 벨벳류가 고급으로 환대받는다는 것은 의외이다.

이런 것으로 보면 사이공 여성의 의상 포인트는 몸의 맵시를 최대한 드러내는 것이라 볼 수 있다. 그리고 조금 과하게 파인 옷들도 소화해 내는 과감성이 있다. 몸이 작아도 신체의 비율이 좋은, 타고난 체형이 받쳐주기 때문인 듯하다. 하지만 이러한 분위기도 오래가지 못할 듯하다. 먹거리가 풍족해지고 햄버거, 프라이드치킨 등 패스트푸드 들이 밀려들면서 벌써부터 젊은 여성들 사이에 식욕과 몸매 유지란 절대 양립할 수 없는 욕구 사이에 전쟁이 시작되고 있다. 아마 오래지 않아 품이 헐렁한 옷이 유행할지도 모를 일이다.

결혼 피로연의 화려함

직원 수가 늘어나니 결혼식 피로연에 초청받는 일도 잦아지게 된다. 체면을 중시하는 사이공 사람들은 결혼식 이벤트에 비용을 아끼지 않는다. '과하다'는 정도를 넘어서 '사치'라고 이를 만하다. 파크하얏트 같은 최고급 호텔의 연회장도 결혼 행사를 위한 시설 대여가 중요한 사업 중의 하나이다. 그러다 보니 호텔업계의 후발 주자들도 너도나도 피로연 사업에 참여하고 있다. 그리고 상당히 성공적이라는 후문이다.

베트남 결혼컨설팅협회(ABC)에서 하노이, 호찌민, 다낭, 껀터 등 4대 도시를 중심으로 결혼식 비용에 대해 조사했는데 전체 비용의 50% 이상을 피로연에 사용하고 있는 것으로 나타났다. 그 외 30%는 웨딩 촬영, 15%는 예물 구입, 그리고 나머지 5%는 신혼여행 경비로 사용한다고 한다. 위에 열거한 4대 도시에서만 연간 이백만 쌍이 결혼하고 있다고 보면 시장의 규모를 짐작할 수 있다. 사이공에는 리버사이드 팰리스(Riverside Palace), 클라리스 팰리스(Claris Palace), 화이트 팰리스(White Palace) 등 유명한 전문 피로연장이 있어 성업 중이다.

그런데 결혼식 피로연장보다 화려한 것이 있다. 그 날의 꽃인 신부라고? 아니다. 결혼식을 축하하기 위해 모인 신부 친구들의 의상이다. 처음 피로연에 참석했을 때 깜짝 놀랐던 기억이 있다. 한국에서 결혼식장에 오는 하객들은 화려하기보다는 정갈한 느낌의 의상 입기를 선호한다. 그날의 중심이 신부이기 때문이다. 그런데 사이공에서는 다르다. 화려함을 넘어서 섹시한 의상을 입고 나타나는 하객들도 종종 볼 수 있다. 그녀들은 등이 깊게 파인 옷이나 몸의 굴곡이 드러나는 착 달라붙는 의상, 밖에서는 입기 어려운 강렬한 원색의 원피스를 차려 입고 등장한다. 이런 친구들이 많아지면 아직 짝을 찾지 못한 신랑 친구들의 눈 움직임이 별안간 바빠지게 된다. 하얀 드레스의 신부가 오히려 수수한 느낌이 된다. 초대받은 손님들은 아마도 옷장 안에 깊이 감춰 두었던, 평소에 입기 어려운 비장의 그 옷을 이날의 행사에 가기 위해 꺼내 입는가 보다. 아무래도 프랑스 식민시절이나 미국인들이 진주하게 되면서 그들을 통해 경험하게 된 파티문화가 사이공의 결혼식 피로연으로 전이된 것은 아닐까 하는 생각이 든다.

혼인 예식

수년 전, 사이공에 와서 알게 된 친구 하나가 늦결혼을 하게 되었다. 3년 넘게 주재원으로 근무하던 중 베트남 여성을 인연으로 만난 것이다. 친구는 내게 자신의 결혼식에 들러리를 부탁했다. 나이 들어 팔자에 없던 들러리를, 그것도 외국에서 하려니 쑥스러웠지만 늦으나마 짝을 만난 친구를 축하하는 마음으로 수락했다. 그 덕에 사이공에서의 결혼식에 참석하게 되는 기회를 갖게 되었다. 사이공과 같은 대도시에서는 전통적인 혼례가 많이 사라지고 약식화 되는 추세이지만 친구 예비부부는 나름 절차를 따르려고 했다 하니 그날의 경험을 정리해 볼 필요가 있겠다.

혼례 하루 전에 신랑, 신부의 집에서는 아치를 만들어 대문에 세운다. 그래서 누구라도 혼인을 하는 집이라는 것을 알고 축복하게 된다. 원래 아치는 코코넛 나뭇잎으로 만드는데 아치의 최상단에는 빨간 바탕에 노란 글씨로 '신혼(Tân hôn), 부귀(Vu quy)' 등과 같은 문구를 적어서 걸어 둔다.

혼인 당일에는 아침 일찍부터 부지런을 떨어야 한다. 들러리의 임무는 신랑 측에서 준비한 예물들을 붉은 도자기로 덮어 안전하게 신부의 집으로 운반하는 것이다. 나와 같은 역할을 맡은 들러리는 모두 일곱 명으로 각각 예물 일곱을 들고 이동하게 되었다. 예물로는 술과 차, 고기, 과일, 과자 등 음식이 주를 이루는데 여기서 빠지지 말아야 할 것이 '빈랑나무의 잎과 열매'이다. 이것이 부부의 애정을 상징하기 때문이다. 제일 비싼 패물은 신랑 측에서 별도로 옮긴다 한다. 비싼 것은 아무리 친구라도 남에게 맡기기엔 안심이 안 되니까.

신부의 집 가까이에 도착하면 차에서 내려 도보로 이동한다. 신랑이 맨 앞에 서고 들러리들은 붉은 보자기를 들고 그 뒤를 따른다. 신랑과 일행이 나뭇잎과 풍선으로 장식한 아치가 세워진 집 앞에 도착하면 곱게 아오자이를 차려입은 들러리 처녀들이 우리를 맞이한다. 신랑은 물론 신랑 측 들러리와 신부 들러리가 집 밖에서 마주 보고 일렬로 도열한 상태로 일행을 대신해 방문객 대표가 접시 위에 술병과 잔 하나를 올려 들고 먼저 신부의 집으로 들어가 신부 부모에게 잔을 권한다.

신부 부모가 잔을 받으면 신랑 측 일행은 집 안으로 들어간다. 이때 와서야 신부 측에서는 신랑 측을 환영할 수 있다. 이제 들러리 차례가 왔다. 신랑 측 들러리는 마주 선 신부 측 들러리에게 붉은 보자기로 덮은 혼례 음식들을 전해준다. 그다음 손잡고 함께 들어가느냐? 그렇지 않다. 아쉽지만 이것으로 신랑 들러리의 역할은 끝난다.

모든 혼례 물품이 집 안으로 들어가면 신랑 일행의 대표가 신부의 부모에게 자신들을 소개하고 결혼을 허락해 줄 것을 청하게 된다. 친구는 그의 큰 형님이 이 역할을 했다. 물론 한국 사람이다. 청에 따라 부모의 승낙이 이루어지면 붉은 아오자이의 신부가 들러리 처녀들에 둘러싸여 부모의 뒤를 따라 나오게 되고 이때부터 본격적인 혼인 예식이 시작된다. 제일 먼저 하는 일은 신랑신부가 함께 신부의 집 신주 앞에서 혼인을 고하는 것이다. 신랑신부는 신주 앞에 무릎을 꿇고 향을 사르고 두 사람이 혼인함을 조상께 알린다. 이는 새 가정을 잘 보살펴 주십사 하는 기원으로 조상 숭배에 대한 이들의 의식을 엿볼 수 있는 부분이다. 조상께 대한 기원을 마치면 돌아서서 신부의 부모께 큰절을 올리고 서로 마주 보며 맞절을 한다. 이 예식에 참석하는 하객은 집안의 가까운 친지 어른들이다. 그러니 수가 많지는 않다.

혼례를 맡은 어른은 부부가 된다는 것의 의미에 대한 조언과 더불어 축하의 말을 전하는데 가까운 집안의 어른이 이 일을 맡는다. 신랑신부의 부모도 결혼하는 자녀에게 당부의 말을 전한다. 축복과 당부가 끝나면 신부는 신랑이 보내온 패물함을 열어 하객들에게 보여준다. 신랑이 선물한 각종 패물로 치장을 마치면 서로 결혼반지를 나누어 끼게 되고 이것으로 하객들의 축하 속에 혼례를 마치게 된다.

결혼식 저녁에는 양 가의 일가친척, 친구들과 청첩장으로 결혼식을 알린 사람들이 연회장으로 초대받아 결혼 피로연 행사를 갖는다. 신랑신부는 연미복과 드레스로 차려 입고 모인 하객들에게 인사를 하고 사람들은 식사와 더불어 흥겨운 파티를 갖는다. 하객들이 식사를 하는 동안 신랑신부는 테이블을 일일이 찾아다니며 인사와 건배를 나누며 기념 촬영을 한다. 간혹 결혼식 피로연에 다녀온 한국인들이 그것을 결혼식으로 착각하는 경우가 있는데 결혼식은 일가친지 모시고 버얼써 끝났다. 하지만 외국인과 결혼하는 사이공 사람의 경우에 외국인인 배우자의 관습에 맞춰 한 번에 결혼식과 피로연을 하는 경우도 있다.

얼떨결에 참여한 들러리지만 이 혼인을 위한 들러리도 혼인 예식 들러리와 결혼파티 들러리로 나뉜다고 한다. 혼인 예식 들러리는 주로 친구들이 맡고 결혼파티 들러리는 피로연장에서 계약을 통해 지원한다. 들러리가 사업화되어 가다 보니 이 두 가지 들러리 서비스를 제공하는 업체도 여럿 된다. 베트남이 젊은 나라이다 보니 들러리 수요도 날로 증가해서 보통 청년 한 사람이 한 달에 5, 6회 정도는 들러리를 선다고 한다. 들러리의 기본 복장은 남자는 하얀 와이셔츠에 검은 바지, 여자는 아오자이를 입는데 드물게는 남자도 아오자이를 입는다. 물론 혼주가 경제적으로 넉넉한 경우이다.

여기서 궁금한 점 하나! 빈랑나무의 열매와 잎이 왜 결혼식에 빠지지 않을까? 여기에는 오래된 이야기가 전해 내려온다.

빈랑나무는 '쩌우까우(Trầu cau)'라 하는데 이 이름은 한 형제의 이름에서 유래되었다. 상고시대 훙(Hùng)왕이 다스리던 때에 쌍둥이 형제가 살았다. 너무나 똑같아 구별하기 어려운 이 형제의 이름은 '빈(檳)'과 '랑(榔)'이었다. 형제는 우애가 깊었지만 그들이 열예닐곱 살 되었을 때 부모가 세상을 떠났다. 그런데 그들이 배우는 스승에게 비슷한 또래의 딸이 있었다. 쌍둥이 형이 스승의 딸과 혼인을 하였는데 그 후에도 동생인 랑이 두 사람과 함께 살게 되었다.

세월이 가면서 부부의 정은 깊어 갔지만 형이 아우를 대하는 태도는 변해 갔다. 이를 서러워한 아우는 형이 자신을 잊었다고 생각했다. 그러다 서로 간의 오해로 말미암아 동생은 말없이 집을 떠나게 되었다. 큰 강가에 이르게 된 그는 홀로 앉아 눈물을 흘리다 죽어 바위가 되고 말았다. 동생을 오해한 것과 그가 사라진 것을 깨달은 형은 여기저기 헤매다 큰 강가에서 아우가 바위가 된 것을 알고는 곁에 서서 통곡을 하다 죽어 나무가 되었다. 그리고는 나무의 뿌리로 바위를 감싸 안았다. 남편이 돌아오지 않자 아내도 남편을 찾아 나섰다. 그녀 역시 남편이 나무로 변한 것을 알게 되었다. 그녀도 상심하여 죽는다. 아내는 죽은 후 덩굴로 변해서 나무를 감싸고 자라났다. 그 잎은 맛이 향기롭고 맵싸했다. 사람들은 그들이 죽은 곳에 사당을 세워 형제의 우애와 부부의 절의를 칭찬했다고 한다.

이 슬픈 형제와 부부의 사랑이야기는 형제의 이름에서 온 빈랑나무와 더불어 베트남 사람들의 생활 속에 깊이 스며들었다고 한다. 그래서 이 부부와 같이 죽어서도 영원히 함께하기를 바라는 마음으로 혼인식에 잎과 열매 장식을 준비하는 것이 혼인 풍속으로 정착되었다고 한다.

결혼하기 어려워

우리 회사의 한국인 주재원 한 사람은 뒤늦게 사이공에서 어여쁜 베트남인 아내를 만나 가족을 이뤘다. 아들도 뒀으니 한국의 부모님에게 큰 효도를 한 셈이다. 늦었지만 건강하게 자라는 자식의 모습을 보면서 피곤하지만 기쁘게 일하는 우리 직원 부부였다. 그런데 하루는 그 주재원 부인이 심각한 표정으로 이맛살을 접으며 남편에게 얘기했다고 한다.

"우리 아이는 커서 캄보디아 신부를 맞아야 할지도 몰라."

그 주재원이 한국 성비 불균형의 희생자인지는 모르지만 그가 한국에서 짝을 못 찾고 부모님의 걱정 속에 세월을 보낸 것은 사실이다. 그런 그가 어른들의 근심거리에서 탈출한 것은 그나마 베트남에서 반려자를 찾았기 때문이다. 그런데 눈에 넣어도 아프지 않을 외아들이 베트남의 성비 불균형 때문에 옆 나라를 기웃거려야 한다니… 자신의 아픈 기억을 떠올리며 대를 이어 같은 고민을 하게 될까 봐 갑자기 머리가 아파오더라는 직원의 이야기였다.

그렇다. 베트남에서의 성비 불균형은 매우 심각한 상태이다. 실제로 베트남 정부도 곧 베트남 젊은 남성들이 외국에서 배우자를 찾아야 할 것을 기정사실화하며 전망한다. 베트남 인구 가족계획

총국에 의하면 베트남의 평균 출생 성비는 2017년에 여아 100명 당 남아 112.4명이다. 그리고 2018년에는 여아 100명당 남아 112.8 명으로 계속 증가세를 보일 것이라고 예측한다. 보건부 발표에 의하면 베트남에서 성비의 불균형이 시작된 것은 2000년에 들어서면서 부터이다. 이전에는 여성이 50%를 약간 상회하며 비교적 안정세를 보여 왔다. 이에 대해 UN 인구기구에서는 베트남 정부가 적절한 대책을 찾지 못한다면, 2050년에는 베트남 남성 430만 명이 배우자를 찾을 수 없을 것이라고 경고했다.

 베트남에서의 성비 불균형 문제도 어떤 점에서 한국과 비슷하다. 한국은 유교의 영향으로 전통적으로 남아에 대한 선호가 뿌리 깊은 데다 한국 전쟁 이후 베이비붐 시기를 거치면서 대표적인 남초 국가가 되었다. 이것을 획기적으로 부추긴 것은 초음파 검사로 태아의 성 감별이 가능했기 때문이었다. 베트남도 유사한 과정을 겪었다. 한국보다는 덜하지만 남아에 대한 전통적인 사회적 선호가 있었고 오랜 식민투쟁과 전쟁을 겪으면서 아들의 수가 절대로 부족했다. 그리고 현대에 와서는 초음파 검사의 발달로 성의 선택이 수월해졌다. 그런데 남아 선호에 대한 정도에 있어서 하노이를 중심으로 한 북부지역과 사이공을 위시한 남부지역에 차이가 있다고 한다. 북부 사람들은 기본적으로 남아를 선호하던 전통 입장에 참혹한 전쟁의 실제적인 피해자였기 때문에 대를 이어야 한다는 의식이 강화되었을 것으로 본다. 그에 반해 크게 전쟁의 여파를 겪지 않았고 보다 풍족했던 사이공을 비롯한 남부에서는 남아를 기뻐하기는 해도 무조건 좋아하지는 않는다는 점에서 선호의 정도에 차이가 있다. 남부 사람들의 대부분은 그저 건강한 아이의 탄생을 기원한다.

문제는 산모를 검진하는 베트남의 개인병원들이 너무나 쉽게 태아의 성을 식별해 준다는 점이다. 이를 법으로 규정하지 않는 한 원하지 않는 성의 태아를 포기하는 일은 멈추지 않을 것이다. 이는 여성이 자기 몸을 건강히 지킬 권리를 잃는 일이기도 하지만 사회적으로도 미래의 균형적인 발전의 축을 무너뜨리는 일이 될 것이다. 아니, 그렇게 거창한 일이 아니라도 우리 직원의 아이에게 곧 다가올 미래에 있을 현실적인 악몽이 될지도 모른다.

앰어이에 대한 첫 번째 이야기

호칭은 단순히 부르고자 하는 대상을 지칭하는 것 이상의 의미를 갖는다. 한국과 마찬가지로 베트남 사람들도 호칭에 의해 상대와 나와의 관계를 설정한다. 특히 '옹(Ông)', '바(Bà)', '쭈(Chú)', '아인(Anh)', '찌(Chị)', '앰(Em)', '짜우(Cháu)' 등과 같은 호칭은 회사와 같은 조직 내에서도 사용될 정도로 보편적이다. 공식적인 회의에 참석해 보면 가끔 연사가 '깍아인찌앰(Các anh chị em)'이라고 말하기도 한다. 우리로 치면 '여러분' 정도일 것인데 이를 '여러 형님, 누님, 그리고 동생들'이라고 말하는 것과 같다. 호칭 가운데 우리가 많이 접하는 호칭이 '아인(Anh), 찌(Chị), 앰(Em)'의 셋이다. 'Anh'은 손위 남자를 가리키고 'Chị'는 손위 여성이다. 자기보다 나이가 어리다면 남녀를 불문하고 'Em'이다. 간혹 Em이 어린 여성만을 지칭하는 것으로 아는 사람이 있는데 그렇지 않다. 또 말하는 사람이 상대방보다 나이가 많다면 스스로를 Anh 또는 Chị라 해야 한다. '나는' 이라는 표현이다. 나이가 상대보다 어리다면 당연히 Em이다. 한국식으로 말하자면 본인을 낮춰 말하는 '저는'과 같다. 우리가 책에서 자기를 가리키려면 베트남어로 '또이(Tôi)'를 사용한다고 배웠다. 하지만 처음 본 사이가 아니라면 '나는' 이라고 말하기 위해 Tôi를 사용하지 않는 것이 좋다. 친근함이 없어 듣는 상대가 섭섭해 하거나 언짢아 하는 경우가 생기게 된다. Tôi는 격식을 차리는 자리이거나 만난 지 얼마 안 되는 관계에서 쓰는 호칭이다.

사람을 부를 때는 호칭에 조사 '어이(ơi)'를 더해 부른다. '안어이(Anh ơi)', '앰어이(Em ơi)'하는 것이 그것이다. 'Em ơi'는 "얘 ~" 하고 어린 사람을 부르는 호칭이다. 식당의 경우에 근무하는 종업원들의 나이가 대체로 어리기 때문에 남녀 종업원을 불문하고 'Em ơi'라고 부르는 것은 자연스러운 표현이다. 그런데 앞서 설명한 대로 간혹 외국인들이 'Em ơi'를 일하는 사람을 부르는 호칭으로 잘못 이해해 베트남 사람들의 신경을 거슬리게 만드는 경우도 종종 발생한다. 예를 들어 외국인 가정에서 베트남인 여성 가정부를 고용하여 생활하는 경우에 엄마가 가정에서 어린 가정부에게 'Em ơi'라고 부르니까 아이들도 덩달아 'Em ơi'라고 부르는 경우이다. 이것은 잘못된 것이다. 아이들에게는 'Chị ơi(언니 혹은 누나)'라고 부르도록 교육시켜야 한다.

그런데 사이공 아가씨는 직장의 상사나 손 위 남자에게도 'Anh ơi', 동네 오빠에게도 'Anh ơi', 애인에게도 'Anh ơi'라고 부르는데 도대체 이들을 어떻게 구분할까? 회사의 손위 남자나 동네 오빠를 부를 때는 'Anh ơi'라고 부를 수도 있지만 이름을 더해서 부른다. 예를 들어 남자의 이름이 'Thịnh'이면 부를 때 'Anh Thịnh ơi'라고 하는 것과 같다. 친오빠는 'Anh trai'이다. 애인에게는 이름을 더해 부르지 않는다. 그러나 상대방의 이름이 기억 안 날 때, 또는 나이가 들어 보이는 상대 남자를 부를 때 모두 'Anh ơi'라고 한다.

그럼 모르는 사람을 부를 때의 'Anh ơi'와 애인을 부르는 'Anh ơi'는 어떻게 다를까? 어감이 다르다고 한다. 애인을 부를 때는 사랑의 마음을 담뿍 담아서 콧소리와 함께 "Anh ơi~"라고 하거나 "Anh à~"라고 하는 것이란다. 감정이 담긴 호칭은 금방 구별이 되니까 헷갈릴 리가 없다. 비교해 보자면 한국 사람들도 남편이나 아내를 부를 때 "여보"라고 하는데 모르는 사람을 부를 때도 "여보(세요)"라고 하는 것과 같다. '여보'는 배우자를 부르는데도, 모르는 지나가는 사람을 불러 세울 때도 동일하게 사용된다. 그러나 뉘앙스는 하늘과 땅 차이만큼이나 다른 것과 같은 이치이다.

앰어이에 대한 두 번째 이야기

앞 장에서 말했듯이 '앰어이(Em ơi)'는 자기보다 어린 남자나 여자에 대한 호칭이다. 그런데 자기보다 훨씬 나이가 든 아저씨, 아줌마를 Em ơi라고 부르는 경우도 있다. 사이공 사람들이 예의가 없기 때문일까? 그렇지 않다.

이런 일들은 사이공에서 가족 모임에 초대되어 갈 때 볼 수 있다. 만일 베트남 배우자를 얻었다면 가족 행사에서 이런 상황에 맞닥뜨릴 확률이 더욱 높아진다. 사이공 사람들은 가족 모임이나 행사를 크게 가진다. 단지 부모 형제만 모이는 정도로 끝나는 것이 아니라 조부모가 살아계신다면 조부모도 모시니 부모의 형제와 그 자녀들이 함께 모이는 것은 예사이다. 명절이나 기념일이라면 더욱 그렇다. 이렇게 친지들이 많은 상태가 되면 오랜만에 만나는 사촌들이 생기기 마련이다. 거기서 자기보다 훨씬 나이가 든 사람을 'Em ơi'라고 부르는 장면을 보게 되는 것이다. 결혼 후에 모인 가족 모임이라면 자신의 배우자가 나이가 더 먹어 오빠라 해야 할 사촌을 'Em ơi'라고 부르는 버릇없는 장면을 보게 될지도 모른다. 손 위 사촌에게 "애야~" 라니, 한국에서는 감히 상상도 못 할 일이다. 그런데 화들짝 놀랄 일은 'Em ơi'라 불린 상대가 화를 내기는커녕, '아인어이(Anh ơi)' 또는 '찌어이(Chị ơi)'하며 젊은 상대에게 화답한다는 것이다.

베트남 사람도 항렬을 따른다. 한국에서는 사촌 간의 호칭에 있어 나와 사촌들 사이의 나이의 많고 적음만을 따지기 때문에 단순하게 나이에 따라 형, 누나, 동생 관계가 이루어진다. 그런데 베트남에서는 그렇지 않다. 사촌 간의 호칭은 한국과는 달리 아버지의 항렬에 의해 결정이 된다. 만일 나이 어린 내 사촌의 부친이 우리 아버지의 형님이라면 아무리 나이가 어려도 그는 내게 형이 된다. 그래서 사촌 형으로 불러야 하므로 'Anh ơi' 해야 하고 그는 내게 'Em ơi'라고 부른다. 가계도에서 형님 계보는 어쨌거나 가문의 형님으로 유지되는 것이다. 이러다 보니 아버지의 큰형, 곧 큰아버지의 자녀들 중 젊은 친구를 자기가 어릴 때 울면 코 풀어주면서 데리고 놀았다는 작은아버지의 자녀 중에 나이 많은 사람이 있기 마련이다. 그랬든 어쨌든 철들면 자기보다 어린 친구라도 형이라고 불러야 하는 것은 변함이 없다. 그러고 보면 진짜 동방예의지국은 한국이 아니라 이런 집안의 계보에 더욱 엄격한 베트남인지도 모르겠다.

베트남에서 나이 들어 결혼하신 분들은 가끔 장인, 장모와의 나이 차이가 형, 누나 정도 될 경우가 있다. 이럴 때 자신을 '앰(Em)'이라 해야 할까? 아니다. 자녀를 뜻하는 '꼰(Con)'이라 해야 한다. 아내가 자녀이니 자신도 그렇다는 의미이다. 베트남은 이런 구분에 엄격하다. 그러니 민망하면 어쩌랴. 어린 아내를 둔 죄이니 마음에 꾹꾹 눌러 두고 참을 일이다.

미안해

처음 사이공에 와서 사무실을 준비할 때의 일이다. 사무실 인테리어 계획을 마치고 가구 설치계획을 세워 주문을 했다. 색상과 자재, 크기를 상세히 표기한 도면과 함께 요청을 하고 가구의 반입을 기다렸다. 베트남 회사들이 기일을 지키지 않는다는 얘길 들어 긴장했지만 다행히 약속된 날 가구들이 모두 도착을 했다. 기대했던 것보다 가구의 마감과 제작상태가 만족스러워 내심 흡족하던 차였다. 해당 위치에 맞게 배치를 하는데 중역실의 가구가 어딘지 이상했다. 회의 탁자의 다리 높이가 서로 다른 것이다. 동행한 가구회사의 한국인 사장님이 직원을 질책했다. 그런데 그 말을 듣고 있던 가구회사 직원, 팔짱을 낀 채 자기 사장님의 불평을 들으면서 미소를 짓는다. 그 모습에 열이 오른 사장님이 결국 폭발해 소리쳤다.

"나가!"

그 베트남 가구회사 직원, 그런 상황을 예상치 못했는지 이해가 안 된다는 멀뚱한 표정으로 밖으로 나갔다. 그때 가구회사 사장님은 베트남에 온 지 15년이 넘었다고 했다.

문제가 마무리된 후 수고를 격려하는 자리에서 사장님의 얘기를 들었다.

"알면서도 화가 난다니까요."

왜 미안해하면서도 미안하다는 말을 안 하는 걸까? 누군가는 자존심이 강한 민족이어서 그렇다고 해석하는데 그건 아닌 듯하다. 어떤 사람들은 베트남 사람이 한국인과 정서가 유사하여 서로 간에 장애를 느끼지 못한다 하는데 이런 일을 겪을 때마다 그건 더욱 아니라고 생각된다. 베트남 사람들에게서 우리가 이해할 수 없는 행동을 볼 때, 우리와 다른 그들만의 습성과 문화를 발견하고 그 좁힐 수 없는 차이를 깨닫는다. 가구회사 직원과 같이 팔짱을 끼고 미소로만 잘못을 인정하는 것이 대표적인 예이다. 잘못을 했다면 응당 진지하고 성의 있는 자세로 미안함을 표현하는 것이 예의라고 생각하는 한국인들에게 그들의 모습은 결코 사과로 여겨지지 않는다. 그런데 이 행동이 가장 공손하고 예의 바른 자세라 한다면 순간 머릿속이 아득해진다. 가구회사 사장님처럼 그런 경험을 무려 십오 년간 하고도 또 열이 받고 말 테니까. 그리고 더 참담한 것은 그들은 왜 자기 회사 사장님이 갑자기 불같이 화를 내는지 알지 못한다는 점이다.

한 강의를 통해 이에 대해 공감되는 얘기를 들은 적이 있다. 베트남 사람들은 본시부터 '정감(Tình cảm)'을 중요시한다고 한다. 이 정감은 표현되는 것이 아니라 마음속 깊이에 있다고 믿는다. 그러니 외국인처럼 직접적인 표현으로 이를 드러내는 것을 좋아하지 않는다. 가벼운 말로 깊은 정감을 나타낼 수 없기 때문이다. 그래서 그들은 누군가 선물을 주면 "감사합니다" 하지 않고 "짜우씬(Cháu xin)", "앰씬(Em xin)" 한다. "저는 몹시…" 라는 의미인데 실제로는 해석 불가인 표현이다. 베트남 사람에게 이 표현에 대해 물어보면 그저 자기의 마음을 드러내는 말이라 한다. 그 마음은 '…' 안에 들어있다. 그러니 뜻은 모른다. 반대로 무엇인가를 줄 때도 정감이 있어야 한다. 뗏이 가까워지면 선물을 돌리는데 이때도 선물만 전달하는 것이 아니고 중요한 이들에게는 일일이 직원을 보내 "지난 한 해 동안 신경 써 주셨지요. 새해에도 건강하시고 사업도 융성하시고 또 가족과 함께 행복하시길 바라겠습니다" 하고 선물 받는 사람을 세워두고 전할 말을 읊는다. 처음엔 이 상황이 얼마나 쑥스럽던지. 그냥 '감사했습니다' 하거나 선물에 엽서만 끼워 보내는 것은 정감이 없는 행동이다. 이런 상황들을 바닥에 깔고 생각해 보면 조금은 이해가 된다. 잘못했을 때에도 직접적으로 "미안합니다"가 아니고 "제가 신경 쓰지 못해 그랬어요"라는 식으로 변명처럼 들리는 이야기를 늘어놓는다. 이상하게 들리겠지만 듣는 내가 미안해할까 봐 미안하단 말을 하기보다는 다른 방식으로 표현한다. 말로 부족하다고 생각된다면 가장 공손함을 표현하는 태도인 팔짱을 끼고서 미안함을 애써 미소로 감추는 것이다. 감사한 일도 그냥 감사하다 하는 것으로는 부족하므로 장황하게 건강하고 행복하세요 하고 감사와는 다른 표현을 늘어놓는 것과 같다. 이것이 그들의 사회에서 관계를 유지해 나가는 지혜인 '정감의 방식'이다. 그러니 혹시 누가 잘못했는데 사과도 하지 않고 딴소리만 늘어놓는다면 '이 사람이 미안해 저러는 구나' 생각해야 한다. 또 미소를 짓고 서 있다면 '지금 입장을 몹시 어려워하는 구나'라고 이해해야 한다. 그럼 지금 젊은 세대는 어떨까? 미안하지만, '미안하다'고 잘 말한다. 그런데 그걸 보는 어른 세대는 세월이 변했다고 안타까워한다. 문화의 차이도 그렇지만 세대의 차이라는 이름의 강도 이렇게 깊고도 넓다.

콤사오 이야기, 하나

앞서 쓴 '미안해'라는 글의 사건과 연결된 일이다. 우여곡절 끝에 가구 설치를 마쳤으니 한 시름 놓은 셈이었다. 이제 자잘한 설치물들만 남았으니 별일이 있겠냐 싶었다. 이게 큰 착각이었다. 그 중 가장 강렬하게 남은 에피소드가 있다. 바로 그 유명한 '콤사오(Không sao)'를 처음 들은 날이기도 하다.

전기와 통신, 인터넷 네트워크 공사를 마치고 점검에 들어갔는데 중역실 천장의 등이 켜지지 않았다. 점검을 해야겠기에 일하고 있던 기술자에게 확인을 요청했다. 잠시 천정의 등을 응시하던 그 친구, 갑자기 훌쩍 몸을 날려 회의 탁자 위에 올라섰다.

"으악!"

여러분은 앞의 글을 읽으셨을 테니 왜 내가 비명을 질렀는지 이해할 것이다. 그 말썽 많던 회의 탁자, 다리를 잘라내는 아픔을 겪고 열 받은 가구회사 사장을 오히려 위로하고 들여놓았던 그 회의 탁자. 그 위로 보호용 커버가 될 만한 아무것도 깔지 않고, 맨발도 아닌 거친 바닥의 작업화도 벗지 않은 채, 그가 회의 탁자 위로 올라선 것이다. 그리고 왜 소리를 지르는지 모르겠다는 심드렁한 표정으로 모여 선 우리를 내려다보고 서 있었다.

"내려 와욧!"

빨리 내려오라고 나와 우리 직원들이 덩달아 난리를 치자 이 친구, 이해했다는 표정으로 얼른 내려온다. 그러더니 자기가 올라서서 더럽혀진 탁자 위를 옷소매로 쓱쓱 문지른다. 으악! 다시 한 번 까무러칠 일이었다. 더럽혀진 건 닦으면 되는데 만일 작업화에서 떨어진 잔 이물질들을 옷소매로 쓸어 스크래치가 생긴다면? 끔찍했다.

"그만!"

그제야 그도 분위기를 눈치 챘는지 손을 떼었다. 그리고는 내 험악한 표정을 살피더니 배시시 웃으며 말한다.

"콤사오."

아, 그때 난 그의 신비한 미소와 더불어 비밀에 싸인 주문을 들었다. 콤사오, 콤사오, 콤사오, 콤사오…. 콤사오가 뭔가? '괜찮아요'라고 하는 말일 텐데? 그런데 왜 저 사람이 내게 괜찮다고 말하는 거지? 그건 내가 너그럽고자 작정했을 때 그에게 하는 말인데 말이다. 이런 경우를 가리켜 '적반하장'이라 하지 않을까? 희한한 일이었다.

다음 장에서 다른 콤사오에 관한 에피소드 하나를 더 알아보고 이야기를 이어가도록 하자.

콤사오 이야기, 둘

우리 회사의 한국인 주재원 한 사람이 베트남 친구에게 초대받았던 자리에서 있었던 일이다. 여러 음식과 더불어 시원한 맥주를 나누며 즐거운 얘기가 오고 갔다. 음식이 비자 친구가 물었다.

"어때, 더 시킬까?"

우리 직원, 동방예의지국에서 온 한국인의 위신이 있지 어찌 얻어먹으면서 배를 불릴 생각만 할까. 적당히 사양하는 것이 좋겠다고 생각하여 예의 바르게 대답했다.

"콤사오(Không sao)."

괜찮아. 점잖게 사양했으니 됐겠지 생각한 한국 친구의 대답을 들은 베트남 친구, 당황했다는 듯이 잠시 바라보더니 갑자기 박장대소를 하더란다. 덕분에 얼떨떨해진 쪽은 우리 주재원이었다.

'이 상황이 도대체 뭐지?'

웃음을 멈추었으나 여전히 웃음기를 지우지 못한 목소리로 베트남 친구가 물었다.

"콤사오 지(Không sao gì)?"

'대체 뭐가 괜찮은데?'라는 뜻이다.

언어의 차이라는 것은 발음과 어순에만 있는 게 아니다. 그 속에 담겨 있는 문화에도 있다. 한국 사람들은 거절하거나 부정적인 의미의 대답을 할 때 상대방이 불편하지 않기를 바란다. 그래서 발전한 대답이 '그만(stop)', 또는 '아니(no)'가 아니라 '괜찮아'이다.

누군가가 어떤 의사를 물을 때 괜찮다고 대답하는 건 완곡한 사양의 뜻도 있고, 거절하는 방식의 가장 상대 배려적인 방식이기도 하며, 더 이상 신경 안 써줘도 된다는 뜻도 포함하는 오묘한 말이다. 딱딱 부러지는 영어로 그런 표현이 쉽지 않아 불편했는데 베트남어에서 그 표현을 발견했으니 얼마나 반갑던지. '콤사오(괜찮아)'와 같이 한국인의 정서에도 잘 맞는 표현이 베트남에도 있는 걸 보면서 역시 베트남은 우리와 정서를 공유하는 나라임이 확실하다고 반가워했는데 그것은 한국 사람들만의 착각일 수 있다.

우리 주재원이 겪은 이런 대화의 경우에 한국 사람에게는 '더 주문하지 말아' 라는 의미의 점잖은 사양이겠지만 베트남 사람에게는 엉뚱한 대답으로 들린다. '더 먹을래?' 물으니까 '나는 괜찮아'라고 대답한 것이다. '좋아' 또는 '싫어' 해야 하는데 괜찮다고 하니 '뭐가 괜찮은 거지? 어디 언짢은가?' 심지어 그들은 그렇게 오해한다. 물론 베트남 사람들 역시 한국 사람들과 마찬가지로 상대방의 심기를 살펴 이야기한다. 나쁜 일에 대해서는 직설적으로 말하기를 꺼린다. 특별히 거절해야 할 일에 대해서는 더욱 그렇다. 하지만 그것은 같은 문화권의 사람들에게만 통하는 정서이다. 한국 사람이 한국 사람과, 베트남 사람이 베트남 사람과의 사이에서 허용되는 이야기이다. 동일한 문화적 배경을 가진 사람들끼리는 언어가 가진 겹겹의 의미를 이해할 수 있어 적당히 둘러말해도 뜻을 안다. 하지만 아무리 비슷한 감정이 있어도 외국인은 외국인이다.

베트남에 사는 한국인들이 많이 쓰는 '콤사오'. 베트남 사람들이 이 용어를 쓸 때마다 의아하게 생각했다면 우리가 사용하는 '콤사오'의 의미는 적절한가에 대해서도 생각해 볼 일이다. 베트남인과 한국인이 말하는 '콤사오'는 발음은 같지만 각각 다른 의미의 표현이 될 수도 있다.

동커이 거리의 상인

콤사오 이야기, 셋

 벗겨 볼수록 이상한 용어 '콤사오'에 대해 우리는 그들이 참 이상하다고 생각한다. 우리가 괜찮다고 해야 하는 상황에서 그들이 괜찮다고 하는 말을 듣게 되니 말이다. 그러나 반대로 콤사오라 말하기에 전혀 적절하지 않은 상황인데 너무나 적절할 것 같다는 생각으로 콤사오라고 대답하는 우리의 모습도 쉽게 발견한다. 이런 콤사오에 대해 이해하려면 먼저 베트남 사람들이 어떤 경우에 콤사오라 하는지 살펴볼 필요가 있다.

 가장 많은 쓰이는 콤사오의 의미는 '서로 불편해지지 맙시다'이다. 회의탁자 위에 올라섰던 기술직원이 콤사오라고 말한 것이 그런 의미이다. 비록 자신이 잘못하기는 했지만 우리에게 콤사오라고 말함으로써 서로 간에 생기게 될 서먹서먹한 상황을 피해가고자 하는 것이다. 사실 '미안합니다'라는 대답을 들으려면 잘못에 대한 지적이 우선되어야 한다. 그런데 다른 이의 잘못을 지적하거나, 자신의 잘못을 공개적으로 인정하는 것에 대해 그들은 매우 부자연스러워 하는 듯하다. 이 상황을 벗어나기 위해 사용하는 언어가 콤사오이다. 서로 시시비비를 가려서 불편하지 말자는 것이다.

이런 상황을 벗어나기 위해서는 콤사오에 하나의 의미가 더 추가되어야 한다. 그것은 '참읍시다'이다. 서로 다투고 따지는 것 보다 잘못한 쪽은 '참아주세요'라고 말하는 것이고 피해를 입은 쪽에서는 '참아줍시다'가 되는 것이다. 사실 어떤 다툼에서 옳고 그름을 따질 때 어느 한 쪽이 일방적으로 잘못인 경우는 드물다. 회의탁자 사건에 있어서도 잘못은 기술직원이 했지만 일을 시키면서 주의를 주지 않은 우리 쪽의 책임도 있었다는 얘기이다. 그러므로 서로 잘잘못을 따져 발생하는 관계의 틀어짐이나 그 과정의 피곤함을 피하자는 뜻이다. 그때 쓰는 용어가 콤사오이고 그때 사용하는 무언의 언어가 미소이다. 미소는 콤사오의 강력한 동반자이다. 콤사오가 다양하게 사용되는 것처럼 이 미소도 상황에 따라 많은 해석이 가능하다. 미안함, 거절, 곤란함, 어려움, 싫음, 분노, 이해의 요청 등, 그러나 목적은 한결같다. 서로의 관계가 불편하지 않고 자연스러워질 수 있도록 유도하는 것이다.

하지만 이런 콤사오의 오묘한 약효도 돈 앞에서는 약해지나 보다. 처음 사이공 생활을 시작하고 몇 년 동안은 오토바이끼리 부딪혀도 신경 안 쓰고 콤사오 하며 툭툭 털면 끝이었고, 오토바이가 차와 접촉사고를 일으켜도 크게 문제가 없으면 콤사오 하고 손 한번 들어주고 헤어졌는데 요즘은 오토바이 끼리든, 승용차 끼리든 문제가 생기면 거리에 차를 세워 두고 다투는 모습을 왕왕 보게 되니 말이다. 경제가 성장하고 살림살이가 나아지면서 오히려 사람들 간의 관계는 강퍅하게 변해가는 것 같아 씁쓸하기만 하다.

그런데 콤사오는 다른 사람에게 하는 말처럼 보이지만 때때로 자신에 대한 선포가 되기도 한다. 콤사오라고 말하면서 실패한 일, 나쁜 일, 재수 없는 일들을 훌훌 털어 버리는 것이다. 그러므로 콤사오의 마지막 의미는 자기 자신에 대한 선포이다. 자신에 대한 위로이다. 또한 그렇게 말하며 벌어진 일을 관조하고자 하는 행위라고도 할 수 있다.

아주 아주 오랜 옛날에

베트남에도 민족의 기원과 국가의 형성에 대한 신화가 있을까? 우리나라의 단군신화와 같은 건국신화 말이다. 당연하다. 베트남의 건국신화는 14세기 후반 편찬된 신화전설집 '영남척괴열전(嶺南摭怪列傳)'에 최초의 기록이 전해진다. 영남척괴열전은 한문으로 쓰인 책으로 작자는 알려져 있지 않다. 이 신화는 '대월사기전서(大越史記全書, Đại Việt sử ký toàn thư)'에 유교적으로 각색되긴 했지만 같은 내용으로 실려 있다. 대월사기전서는 레(Lê) 왕조(1428~1788) 때 국가의 정체성 확보를 위해 채록, 정리된 것으로 당시 왕실의 역사학자였던 응오시리엔(Ngô Sĩ Liên)이 1479년 편찬하였다. 이 건국신화는 교과서에도 실려 있는 만큼 모든 베트남 사람들에게 친숙한 내용이다. 그 내용은 다음과 같다.

신농씨(神農氏) 3세손의 이름은 데민(Đế Minh)이다. 그가 아들 데응이(Đế Nghi)를 낳은 후 남쪽을 주유하다 부띠엔(Vụ Tiên)이라는 선녀의 딸을 만나 혼인하여 아들 록뚝(Lộc Tục)을 낳았다. 록뚝이 총명하여 왕위를 물려주고자 했는데 록뚝은 이를 사양하여 형에게 양보했다. 이후 형 데응이는 왕위를 이어 북쪽 땅을 다스리고 동생인 록뚝은 낀즈엉브엉(Kinh Dương Vương)에 봉해져 남쪽 지방을 다스리게 되는데 나라이름을 씻귀(Xích Quỷ)라고 했다. 록뚝에게는 특별한 능력이 있어 물속의 용궁에 드나들 수 있었다. 그는 용왕의 딸과 혼인해 아들 숭람(Sùng Lãm)을 낳았는데 그가 훗날 베트남 사람의 조상이 된 락롱꾸언(Lạc Long Quân)이다. 락롱꾸언이 자라자 록뚝은 아들에게 자기 대신 나라를 다스리게 하고 사라졌다. 락롱꾸언은 나라 이름을 '락비엣(Lạc Việt)'이라 정하고 백성들에게 농사짓고 누에치는 법을 가르쳤다. 락롱꾸언은 때때로 어머니의 나라인 용궁으로 돌아갔지만 백성들은 평안한 시절을 누렸다.

록뚝의 형 데응이도 아들 데라이(Đế Lai)에게 왕위를 물려주고 딸 어우꺼(Âu Cơ)를 데리고 남쪽 지방을 돌아보기 위해 떠났다. 그는 남방의 생활에 만족해 돌아갈 것을 잊고 홀로 천하를 주유했다. 마침 용궁에 머물다가 돌아온 락롱꾸언이 어우꺼가 홀로 있는 것을 발견하고 그녀를 데리고 용대암(龍垈巖)으로 갔다. 데응이는 딸을 잃게 된 사실을 알고 천하를 뒤져 찾았으나 결국 포기하고 북방으로 돌아갔다.

두 사람이 함께 산 지 일 년이 지나 어우꺼는 삼(뱃속의 아이를 싸고 있는 막과 태반) 하나를 낳았는데 처음에는 불길하다 하여 들판에 내다 버렸다. 칠 일이 지나자 붉은 덩어리에서 백 개의 알이 나왔고 알 하나마다 한 명씩 백 명의 사내아이가 태어났다. 어우꺼는 아이들을 데려다 길렀는데 젖을 먹이지 않아도 잘 자랐으며 지혜와 용맹함을 갖추게 되었다. 하지만 락롱꾸언은 물에 사는 자신과 지상에 사는 어우꺼가 물과 불처럼 상극이라 오래도록 함께 살 수 없다는 점을 들어 산과 물로 나뉘어 헤어지기로 한다. 이로써 어우꺼는 50명의 아들을 데리고 산으로, 락롱꾸언은 나머지 50명을 데리고 남쪽 해변으로 간다. 산으로 간 50명 중 가장 강한 자가 훙브엉(Hùng Vương, 雄王)으로 봉해지고 나라의 이름을 반랑국(Nước Văn Lang)이라 했고 이후의 왕들은 모두 훙브엉이라 불렸다. 어우꺼가 낳은 백 명의 아들을 박비엣(Bách Việt, 百越)의 시조라 한다.

베트남 사람들은 이 건국신화에 등장하는 락롱꾸언과 어우꺼를 그들의 조상으로 여긴다. 그래서 스스로를 가리켜 용족(龍族)과 천신(天神)의 후예라고 말한다. 베트남 최초의 국가로 일컬어지는 반랑국은 이들의 자손으로 전설에 나오는 훙브엉이 왕이 되어 통치한 국가이다. 반랑국의 중심은 메린(Mê Linh) 지역으로 고대 홍강 삼각주의 중심이었다. 반랑국은 기원전 258년 어우락(Âu Lạc) 국에 의해 멸망할 때까지 18명의 왕이 지배했는데 이들 역대 왕을 모두 훙브엉이라고 칭했다.

이 건국신화를 근거로 하여보면 베트남 역사의 기원은 중국의 삼황(三皇) 신화에 나오는 신농씨까지로 거슬러 올라간다. 이것이 기원전 2879년이니 단군왕검이 고조선을 세운 것을 기원전 2333년으로 보면 우리나라 역사보다 약 오백여 년을 앞선 것이다. 고대왕국 반랑국의 근거로는 홍강 하류 삼각주 남쪽에 위치한 타인호아 성(Tỉnh Thanh Hóa)의 동선(Đông Sơn)에서 1920년대 프랑스 극동학회의 고고학자들에 의해 발견된 선사 청동기시대의 유물들이 제시된다. 우리가 자주 접하는 '동선청동북(Trống đồng Đông Sơn)'이 이 시대의 대표적인 유물 중 하나인데 별, 새 등과 여러 기하학적 문양과 장식들의 아름다움을 평가받음은 물론 당대 최고 수준의 청동기 제작 기술로 인정되고 있다.

동선청동북의 문양

III

사이공, 같은 듯 다른 세계

레러이 거리의 낮잠에 취한 상인

서로 다른 음식 맛

베트남은 국토의 형태가 남북으로 길고 서쪽으로는 산맥이, 동으로는 바다로 경계 짓다 보니 같은 나라임에도 지형이 다르고 기후가 달라 다양한 음식문화를 만들어 왔다. 게다가 소수민족들은 그들 나름대로 문화적 정체성을 유지하고 있어서 이 또한 음식문화를 다양화하는 데 일조하게 되었다. 역사적으로 수없이 벌어진 전쟁과 국토의 경계가 확정되는 과정에서 겪은 타민족 문화의 수용, 그리고 식민 지배기를 거치며 여러 이방의 음식의 유입되기도 하고 동화되기도 하는 과정들을 겪으면서 지금의 음식문화로 정착되었다 할 수 있다. 베트남 사람들이 만들어 간 음식문화의 다양성은 개성을 유지하면서도 '지역적 특이성'을 강조하기보다는 '통합의 보편성'을 추구했다고 말할 수 있는데 이는 실용적이고 수용적인 베트남 사람들의 품성을 반영하고 있는 것 같이 느껴진다. 심지어 이런 특성은 베트남 음식의 많은 소스를 대할 때와 그들이 야채와 향채를 내어 올 때 대개의 경우 음식에 직접 섞거나 하지 않고 별개의 접시에 담아 내오거나 하는 것을 보면서 음식일지라도 강요하지 않고 다른 이들의 선택의 다양성을 존중하는 삶의 태도가 보이는 듯해 마음이 훈훈하다.

그런 연유로 한국 사람을 비롯해 외국인들이 처음 베트남 음식을 대하며 놀라는 것이 북부 음식이건, 중부 지역의 맛이건, 남부 음식을 먹건, 입맛에 전혀 거슬리지 않는다는 것이다. 다른 동남아 국가처럼 다양한 향채류를 사용하면서도 쉽게 먹어 볼 용기를 내게 하는 것도 그렇거니와 너무 기름지지도 않고 지나치게 튀는 맛을 가진 음식도 거의 없는 것이 수월하게 베트남 각 지방의 음식에 적응하게 되는 이유가 된다. 그리고 어쨌거나 맛이 좋다.

이런 맛에 대한 보편성에도 불구하고 지형적, 기후적 특성들로 인해 북부, 중부, 남부의 음식은 구별되는 고유의 특성을 지니고 있다. 이를 설명해 달라고 오래 베트남에 살아온 분들에게 물어보니 아주 간단하게 정리해 주었다. '북부 음식은 담백하다. 중부 음식은 강하다. 남부 음식은 달다.' 단순한 표현이지만 시간이 지날수록 맞는다는 생각이 든다. 실제로 구분을 해보자.

베트남 북부 음식의 맛의 특징은 요리 방법에서 찾을 수 있다. 북부지역이 산물이 풍부한 땅이 아니다 보니 재료 본연의 맛을 지키는 데 초점을 두었다. 그래서 북부 사람들은 고기도 해산물도 삶은 것을 선호한다. 또 전반적으로는 향신료를 많이 사용하지 않는다. '퍼(Phở)'를 예로 들어도 남부에서 먹는 퍼에 비해 확실히 담백하고 개운하다.

중부 음식 하면 떠오르는 것이 후에(Huế) 지방의 음식이다. 물론 중부 지방에도 다양한 음식 문화가 있겠지만 응우옌 왕조(Nhà Nguyễn) 시절, 왕실을 위해 개발되었던 요리들이 후에 음식의 정수로 꼽히게 되었다. 중부 지역의 요리는 다른 지역에 비해 맛이 강하다. 다소 짜고 매운 편이다. 후에 음식으로 유명한 쌀국수인 '분보후에(Bún bò Huế)'는 그러한 맵고 얼큰한 맛으로 인해 한국인들에게 사랑받는다.

남부 음식은 독자적이라기보다는 북부, 중부 지역은 물론, 여러 주변 국가들의 영향을 받았다 할 수 있다. 또한 예전 크메르인의 지역이었던 이유로 남방계 음식 문화가 많이 유입되어 있다. 거기다가 신선한 해산물과 곡물, 싱싱한 열대과일들이 풍부하고 음식을 조리할 때에도 코코넛 밀크나 각종 어린 과일들을 조리과정에 첨가하여 넣다 보니 타 지역에 비해 새콤하고 단맛이 더 난다.

한국에 지역별로 특색 있는 음식이 있다 해도 서울에 가면 다 맛볼 수 있는 것처럼 사이공에서도 각 지역의 유명한 음식들을 모두 맛볼 수 있다. 심지어 '바미엔(Ba Miền)'이라 하여 한 식당에서 북부, 중부, 남부 세 지역의 음식을 모두 맛볼 수 있는 식당도 생겨났다. 그러나 아무리 세상이 변해 간다 해도 지방은 지방만의 고유의 맛과 특색이 있는 법이다. 그래서 후에 사람은 하노이에 와서 분보후에를 맛보고 실망을 하고 하노이 사람은 사이공 퍼의 국물 맛에 고개를 절레절레 흔들어 대는 것이다. 그러니 기회가 있다면 그 지방에 가서 자랑하는 음식을 직접 먹어 볼 일이다.

하루를 만드는 힘, 아침 식사

한국에서는 예로부터 사람은 밥 힘으로 사는 거라고, 아침은 꼭 챙겨 먹으라고 어른들이 그러더니만, 부지런한 사이공 사람들의 하루를 만드는 힘이야말로 아침밥이 확실하다! 아침 식사 건너뛰기를 수시로 하는 한국 직장인들에게 어떻게든 아침을 챙겨 먹으려 하는 사이공 직장인들의 열의는 기이하게 보일 수가 있다. 직장인들만이 아니라 사이공 사람들에게 아침 식사는 절대적이다. 출근하는 길에 거리에 잠시 멈춰서 노점상에서 쏘이(Xôi)를 사거나 바인미(Bánh mi)를 사는 모습은 매일의 일상이다. 아버지 오토바이 뒤에 매달려 바인미를 먹으며 등교하는 아이의 모습은 웃음을 준다. 그러다 아빠가 오토바이를 운전하는 가운데, 엄마가 아이에게 밥을 먹이며 이른 아침부터 어디론가 이동하는 가족의 모습을 보면 삶의 절실함을 엿보는 것 같아 웃음이 멈춰진다.

회사에서 고민하는 것이 직원들의 아침 식사 장소이다. 사무실 내에서 먹지 못하도록 통제하면 비상 계단실 같은 곳에 쪼그리고 앉아 먹으니 안쓰럽고, 그렇다고 허용하자니 업무시간 시작부터 15분 정도는 회의실이 식당이 되어버리니 그도 곤란하다. 금지도 허락도 아닌 어정쩡한 상태가 반복되기 마련이다. 업무시간 전에 식사를 해결하면 좋으련만 이들의 출근 환경을 고려하면 십분 이해가 간다.

기왕 아침 식사 얘기가 나왔으니 삼십분 일찍 출근해서 회사 주변을 다녀보라. 점심 식사시간 외에는 가보지 않았던 인근의 퍼집, 바인미집, 까페가 사람들로 가득 찬 모습을 볼 수 있다. 그 중의 누군가는 여러분의 동료 직원일 수도 있다. 손을 흔들고 한번 웃어주면 된다.

사이공 사람들에게 대표적인 아침 식사는 무엇일까? 식사는 개인의 취향이니 어떤 음식을 정해 이것이다, 하기 곤란한 바도 있지만 몇 가지를 꼽아 보았다. 기준이 뭐냐고 묻는다면? 물론 내가 좋아하는 음식 순서이다.

첫 번째가 '바인미 사이공(Bánh mì Sài Gòn)'이다. 그냥 줄여서 '바인미(Bánh mì)'라고 부른다. 베트남식의 샌드위치인 바인미는 직역하면 '밀가루 빵'이다. 바인미를 만드는 빵은 바게트로 프랑스인들이 들여왔다고 한다. 그래서인지 사이공 바게트 빵의 역사는 오래되었을 뿐 아니라 빵만으로도 '정말' 맛이 있다. 아침에 바게트 빵집에 가면 갓 나온 빵이 우리를 유혹한다. 겉은 바삭하고 속은 말할 수 없이 부드럽다. 향은 또 얼마나 좋은지. 크기도 한국에서 보던 것보다 적당히 작아서 딱 내 입에 안성맞춤이다. 바인미는 그런 바게트 빵 안에 고기와 베트남 햄은 물론 허브와 다양한 채소를 넣어 만든다. 소스로는 토마토케첩이나 핫소스를 뿌리기도 하지만 베트남 간장(Nước tương)이 제격이다. 거기에 계란프라이를 넣는다면 금상첨화이다.

두 번째 소개할 아침 식사 거리는 '쏘이(Xôi)'이다. 오토바이로 출근하는 직장인이 가장 간편하게 거리에서 살 수 있는 음식이다. 아침나절에 길 여기저기에 이동식 쏘이집이 열린다. 가격도 저렴하고 맛도 좋지만 무엇보다 한 덩어리만 먹어도 속이 든든하다. 쏘이는 베트남식 찹쌀밥이라고 생각하면 된다. 찹쌀을 오랜 시간 물에 불린 후 약한 불에 쪄서 만든다. 쏘이에는 참깨와 땅콩이 들어간 것, 닭고기 또는 돼지고기가 들어간 것, 녹두 같은 콩 종류가 들어간 것, 코코넛 물로 찐 것, 당근 물로 쪄서 오렌지색이 된 것, 녹색 쌀로 만든 것 등 정말 많은 종류가 있다.

아침 식사로 '퍼(Phở)'를 빼놓을 수 없다. 퍼는 워낙 유명하다 보니 많은 한국 사람이 쌀국수가 곧 퍼라고 잘못 알고 있다. 사실 퍼는 다양한 쌀국수의 한 종류일 뿐이다. 퍼는 원래 북쪽 지방의 음식이었다. 프랑스 식민시절에 퍼에 고기를 얹어 먹기 시작했다고 한다. 사이공 사람들은 아침 식사로도 퍼를 좋아하지만 간식이나 야식으로 많이 찾는다. 속에 부담이 없고 출출할 때나 술 한 잔 마신 후에 따끈한 국물과 함께 먹으면 속이 풀리기 때문이다. 휴일이 되면 가족이 모두 식당의 탁자 하나를 차지하고 둘러앉아 담소를 나누며 퍼를 즐기는 모습도 종종 볼 수 있다.

마지막으로 '보빗뗏(Bò Bít Tết)'이다. 보빗뗏은 베트남식 비프 스테이크이다. '보(Bò)'는 쇠고기이고 '빗뗏(Bít Tết)'은 비프스테이크를 가리키는 프랑스어 'Bif Teck'을 베트남식으로 발음한 데서 유래했다고 한다. 아침 식사로 비프스테이크라니 어리둥절할 수도 있겠다. 그렇다고 품위 있는 레스토랑을 상상할 필요는 없다. 퍼집이나 보빗뗏집이나 오십보백보이니까. 지금은 보빗뗏 전문점도 여럿 생겼고 베트남 쇠고기뿐 아니라 미국산, 호주산만 취급하는 고급 가게들도 생겨났지만 '거리에서 칼질한다' 생각하면 딱 분위기에 맞는다. 보빗뗏을 주문하면 뜨거운 주철로 된 소 모양의 접시에 쇠고기와 미트볼, 계란프라이 등을 바게트 빵과 함께 담아 내온다. 여기에 감자튀김이나 새콤한 야채를 곁들여 서비스하기도 한다.

아침 식사를 밖에서 하는 것은 여성의 사회 참여도가 높고 남녀 구별이 없이 일을 하기 때문이다. 그러다 보니 사이공 사람들의 부엌은 작은 편이다. 저녁 식사도 이런 사회 분위기의 영향을 받아서 퇴근하면서 봉지에 담아 사온 반찬들을 밥만 해서 함께 먹는 게 일반적이었다. 그러나 경제 사정이 나아지고 여성들의 자녀 교육과 가족 건강에 대한 관심이 높아지면서 이러한 풍경도 변하고 있다. 사이공 사람들의 부엌과 냉장고가 점점 커져가고 있다.

베트남, 커피 공화국

커피는 크게 두 종류로 나뉜다. 하나는 '로부스타(Robusta)종'이고 다른 하나는 '아라비카(Arabica)종'이다. 로부스타는 카페인 함량이 아라비카에 비해 두 배나 높아 쓴맛이 강하고 비교적 단단해 중량감이 더하다고 한다. 산도는 거의 없다. 베트남은 세계 최대 커피 생산지 중 하나로 주로 로부스타 종을 대량으로 생산, 수출하고 있다. 생산량으로만 본다면 브라질에 이어 세계 2위이다. 로부스타는 주로 일회용 인스턴트커피의 원료로 사용되는데 이 커피의 최대 산지가 베트남이니 한국 사람들도 알게 모르게 베트남 커피를 마시는 셈이다. 실제로 한국의 최대 커피 수입국이 베트남이다. 베트남에서 로부스타가 많이 생산되는 이유는 특별히 고산기후가 아니더라도 재배하기 용이해서이다. 그러다 보니 베트남 커피의 질이 낮아 고급 커피로 브랜드화하기에 어려움이 많다고 한다.

그에 비해 아라비카는 카페인 함량이 낮고 품질이 더 좋다. 아라비카는 로부스타에 비해 잘 부스러지고 재배하기에도 어렵다. 토양은 산도가 높은 고산지대여야 하고 강수량이 고른 기후대에 기온도 적합해야 하는 등 재배하기에 조건이 까다롭다. 아라비카는

'아라비아에서 나온'이라는 뜻인데 브라질을 비롯한 중남미 지역과 동남아에서는 인도네시아 등지에서 재배하고 있다. 베트남에서도 고급 품종인 아라비카를 재배하기 위하여 경작지를 늘려나가고자 애쓰고 있다. 그 덕에 고급 커피를 전문적으로 취급하는 스타벅스에서 달랏(Đà Lạt) 산 아라비카 커피의 품질을 인정하게 되었고 지금은 스타벅스에서도 베트남산 커피의 판매를 시작했다.

이러한 커피는 사이공뿐 아니라 모든 베트남의 아침을 여는 음료이다. 쌀국수 또는 바인미와 함께 마시는 커피의 짙은 향은 그 자체로 느슨한 아침 풍경을 채우는 매력이 있다. 그러다 보니 베트남 커피는 성격이 급해서는 제대로 즐길 수 없다. 한두 방울씩 떨어지는 커피 액이 모일 때까지 기다려 다시 연유와 섞고 그것을 얼음을 채운 잔에 부어 알맞게 희석될 때까지 기다려야 하니 말이다. 그러나 그 맛에 길들여지면 갈증이 날 때 콜라보다도 더 찾게 된다.

사이공의 거리를 걸어보라. 수많은 커피점이 줄지어 있다. 베트남 커피 브랜드, 해외에서 들어온 브랜드, 그리고 길거리에 펼쳐진 노(No)브랜드 커피에 이르기까지 커피는 사이공의 거리를 꾸미는 인상이다. 로부스타이면 어떻고 아라비카이면 어떠랴. 단지 커피라고 불리면 충분한 이 음료와 커피점이 사이공을 가득 채우고 있다. 그러니 이 도시를 커피 공화국이라 불러서 이상할 것이 없다.

까페다? 까페 쓰다?

베트남에서는 커피를 '까페(Cà phê)'라고 부른다. 여기에 '다(Đ
á)'가 붙으면 냉커피이고 '스어다(Sữa đá)'가 붙으면 아이스 밀크
커피이다. 베트남어 발음을 그대로 옮긴 글 제목만 보고 '까페가
쓰다'란 한국어 문장의 오기(誤記)가 아닐까 생각한 사람은 없었
는지. 그런데 제대로 된 까페스어다에는 우유가 아닌 연유를 넣으
니 아이스 연유커피라고 하는 것이 더 적합할 것 같다. 사이공 사
람들이 마시는 커피는 강하다. 쓰다. 이 커피를 단지 얼음과 함께,
혹은 단 연유와 더불어 얼음에 차게 해 마셔 보라. 한번 맛보면 잊
히지 않는 혀와 위장을 찌르는 통증의 강렬함을 경험할 수 있다.

그러면 사이공은 더우니 아이스커피밖에 없을까? 아니다. 아무
리 사이공이 덥기로 아이스커피만 있을까. 간단히 구분해서 사이
공의 커피는 뜨거운 커피와 차가운 커피, 그리고 쓴 커피와 단 커
피로 나뉜다. 뜨거운 커피는 '까페농(Cà phê nóng)'이라 하고 차
가운 커피는 '까페다(Cà phê đá)'라고 한다. '다(Đá)'는 얼음이다.
쓴맛의 커피는 커피 외에 아무것도 넣지 않은 것이고 단 커피는
연유를 넣어서 단맛을 더한 것이다. 그런데 중부 지방인 다낭(Đà
Nẵng)에 가서 까페스어다를 시키면 전혀 의도하지 않은 이상한

커피가 나온다. 이때는 사이공 커피(Cà phê Sài Gòn)를 주문해야만 한다. 그리고 보면 까페스어다는 사이공을 상징하는 또 하나의 풍미인지도 모르겠다.

나는 까페스어다를 좋아한다. 까페스어다의 맛은 쓰고 단맛의 격렬한 조합에 있다. 그러나 냉커피라고 단숨에 커피를 들이키는 사람은 맛은 있다고 말할지언정 진정한 깊이는 느낄 수 없다. 까페스어다는 단번에 마시는 커피가 아니라 시간을 두고 얼음을 천천히 녹여가며 그 얼음이 강하고 단맛의 조합을 부드럽게 어루만지는 것을 느껴가며 마시는 커피이다. 그러므로 시간이 없다면 까페스어다를 주문하지 말라. 차라리 아이스 아메리카노를 마시길. 그렇지 않으면 "양이 왜 이렇게 적어?" 하며 얼음만 남은 빈 잔에 꽂힌 빨대만 씹으면서 쓸데없는 불평만 늘어놓게 될 것이니까.
자, 이제 한 시간 정도의 여유를 즐길 준비가 되었는가? 그러면 어느 커피집이라도 좋다. 까페라고 쓰여 있기만 하면 된다. 길거리 까페라도 좋다. 장소를 정했으면 가게 밖으로 내어놓은 나지막한 의자에 몸을 기대고 도로를 바라보면서 그저 여유 있게 커피 한잔과 더불어 거리의 풍경을 즐기자. 뜨거운 햇살 아래서 오토바이들의 스치는 모습이 까페스어다 한 잔 안에 잊혀 지지 않을 풍경으로 녹아들 테니까.

이제 본격적으로 사이공 스타일로 커피마시는 방법을 알아보자. 외국인이 사이공 커피를 제대로 느끼려면 전통적인 드립 방식으로 마셔 보기를 추천한다. 드리퍼와 원두는 커피점이나 상점에서 쉽게 구매할 수 있다. 그만큼 대중화되어 있다.

마시는 방법은, 먼저 주문을 하면 종업원이 '핀(Phin)'이라 불리는 1인용 드리퍼를 잔 위에 올려 내온다. 드리퍼를 보면 한 두 방울씩 진한 커피액이 잔 안에 떨어지는 것을 볼 수 있다. 커피액이 다 내려지면 함께 나온 얼음이 담긴 컵에 커피 액을 붓는다. 만일 까페스어다를 주문했다면 커피 액이 담긴 컵의 하단에 연노랑 빛의 연유가 깔려 있는 것을 확인할 수 있을 테니 얼음 컵에 붓기 전에 이를 잘 저어 섞이도록 해야 한다. 여기까지 잘 따라 했다고 금방 마시면 안 된다. 얼음이 어느 정도 녹도록 신선한 커피 향을 즐기며 기다려야한다. 사이공에서 만나는 커피는 여유의 다른 이름이라는 것을 잊지 않는 것이 사이공 커피를 즐기는 팁이다.

드립 방식의 사이공 커피

안남미에 대한 오해

베트남은 세계적인 쌀 생산지일 뿐 아니라 수출에 있어서도 태국에 이어 세계 2위를 차지하고 있다. 베트남이 쌀 수출대국이 될 수 있었던 것은 비옥한 메콩 삼각주를 가지고 있기 때문이다. 이곳은 삼모작도 가능한 쌀의 명산지이다.

티베트에서 발원하여 중국, 미얀마, 라오스, 캄보디아를 거쳐 흐르는 세계에서 열두 번째로 긴 강인 메콩강은 길고 긴 여행 동안 실어온 풍부한 대지의 양분을 하류의 삼각주에 쏟아 놓는다. 이런 연유로 하여 이 지역은 벼의 재배는 물론 온갖 열대 과일의 천국이기도 하다. 여기서 생산되는 쌀의 주종은 '인디카종(Indica type)'인데 쌀의 모양이 가늘고 길다. 세계적으로 볼 때 쌀 품종의 90%가 인디카종이다. 한국 사람과 일본 사람들이 많이 먹는 쌀은 '자포니카종(Japonica type)'이라 한다. 인디카와 자포니카의 차이는 모양도 다르지만 쌀에 함유된 '아밀로펙틴(Amylopectin)'의 양이 다르다. 아밀로펙틴은 밥을 지을 때 찰지게 하는 성분인데 자포니카 종이 상대적으로 많이 가지고 있다. 베트남 쌀밥이 불면 날아갈 것 같다고 말하는 것이 바로 이 아밀로펙틴 함유량이 적기 때문이다. 그러나 실제 영양 면에서는 차이가 없다.

베트남 쌀은 종류가 다양해 약 80여 종에 이른다. 전통적으로 베트남 쌀은 향기(Thơm), 찰진맛(Dẻo), 단맛(Ngọt), 부드러움(Mềm)과 습윤성(Xốp)의 다섯 가지를 기준으로 쌀을 분류한다. 지금은 일본, 대만, 태국 등지에서 종자를 수입하여 재배에 성공하고 있어 자포니카종도 생산이 되거니와 기존 인디카종의 재배에서도 다양화와 고급화를 시도하고 있다. 한국 사람들에게는 과거 동남아 국가로부터 식량 원조를 받았을 때 안남미(安南米)라고 불린 인디카 품종의 쌀이 냄새 나고 풀풀 날리는 쌀이라는 기억이 있어 이 종류의 쌀이 품질이 낮고 맛이 없다고 생각하는데 오해이다. 원조를 위해 주는 쌀로 최고급 쌀을 전할 리도 없지만 한국 사람들이 자포니카종의 쌀로 지은 밥만을 먹어 왔기 때문에 그 독특한 향과 맛에 익숙하지 않았던 탓도 있다. 게다가 밥 짓는 방식에서도 차이가 있는데 이를 우리 쌀로 밥 짓듯이 하니 맛있을 리가 만무라는 것이다. 하지만 아무리 자포니카 쌀맛에 길들어 있어도 볶음밥이나 카레밥에는 이런 인디카종이 최고이다. 그러다 보니 사이공의 음식점에서 '껌찌엔(Cơm Chiên)~'이라 이름 붙은 볶음밥을 찾는 한국인이 많다.

맥주 사랑

사이공뿐 아니라 모든 베트남 사람들은 맥주를 사랑한다. 사람들이 모이는 어느 장소에서도 맥주가 빠지는 법이 없다. 이런 베트남 사람들의 맥주 사랑은 동남아 최고 수준이다. 맥주에 얼음을 넣어 마시는 것도 독특하다. 냉장설비가 제대로 갖춰져 있지 않아서 그런 것이긴 하지만 한 번 맛 들이면 얼음 안 넣은 맥주는 맛이 없어지니 이것도 베트남의 문화라 할 만하다. 그래서 여기 생활을 하다 한국으로 돌아간 사람들에게 얼음 탄 맥주가 그립더라는 얘기도 종종 듣는다.

사이공 사람들도 맥주를 마실 때 한국 사람들처럼 '원샷(One shot)'을 한다. '못짬펀짬(Một trăm phần trăm)'이 그것이다. 이 말을 외치면 100% 마셔야 한다. 사람들끼리 함께 일어나 잔을 부딪치며 "못하이바요(Một, hai, ba, dô)!"를 외치는 모습도 자주 보는 풍경이다. 맥주와 어우러진 남국사람들의 흥겨운 모습이다. 그것도 박스째 갖다 놓고 원샷을 외친다. 그 외에 '쭉슥쾌(Chúc sức khỏe)'라고도 외치는데 '건강을 위하여'라는 뜻이다.

베트남어로 맥주는 '비아(Bia)'이다. 맥주를 뜻하는 영어 단어인 'Beer'에 익숙해 있는 우리들로서는 '비아'라는 별도의 브랜드가 있는 줄 착각도 하는데 그냥 맥주라는 뜻이다.

그럼 사이공 사람들이 가장 좋아하는 맥주는 무엇일까? 하이네켄이다. 하이네켄은 네덜란드의 대표적인 맥주로 VBL에서 생산한다. 증류수와 맥아를 섞은 보리와 효모를 사용하는 하이네켄은 일찍부터 동남아시아에 진출하여 선호도가 높다. '혹시 하이네켄에 붉은 별이 그려져 있어서일까?' 라고 묻는 사람이 있는데 그건 아니다. 한국 사람에게는 타이거가 많이 찾는 맥주이다. 타이거맥주는 싱가포르가 고향인데 같은 VBL에서 생산한다. 그렇다면 베트남 전체에서 가장 많이 팔리는 맥주는 무엇일까? 답은 사베코에서 생산하는 비아 사이공이다.

사이공 시내를 걷다 보면 '비아 허이(Bia hơi)'또는 '비아 뜨어이(Bia tươi)'라고 써진 간판을 쉽게 볼 수 있다. 그곳은 모두 베트남식 생맥주를 파는 가게이다. 베트남의 생맥주 값은 세계에서 가장 싸다고 한다. 길거리에 플라스틱 의자를 놓고 앉아서 마시는 경우가 많은데 한번 경험해 보길 바란다. 처음에는 싱거운 느낌이 들겠지만 알코올 도수가 높아 자기도 모르게 취할지 모르니 주의해야 한다.

두리안의 추억

'서우리엥(Sầu riêng)'은 '두리안(Durian)'의 베트남 이름이다. 그런데 누가 서우리엥을 과일의 왕이라고 했을까. 전혀 상대를 고려하지 않는 당당함이 서우리엥을 왕이라 칭하게 했을까, 아니면 기절할 듯 희한한 향내를 가졌지만 먹으면 먹을수록 중독성을 지닌 맛이 그런 칭호를 듣게 했을까. 과일 가게에 서우리엥이 있다면 다른 과일 향은 모두 고개를 숙여야 한다. 그만큼 서우리엥의 향은 압도적이다. 아니 냄새라고 하는 게 옳겠다. 실제 서우리엥을 보면 독특한 외양과 당당한 크기에 놀란다. 그리고 전혀 상대를 배려치 않는 냄새, 게다가 가격 또한 상대를 배려치 않는 고가의 과일이다. 그럼에도 사이공을 방문했거나 살아본 한국 사람 중에는 서우리엥의 맛을 못 잊는 예찬자가 꽤 된다는 소리도 들었다.

처음 서우리엥을 한 통 샀던 날 저녁, 저녁을 이미 먹은 터라 냉장고에 넣어두고 출근을 했는데 퇴근 후 집에 들어와 방을 가득 채운 이상한 냄새로 고생을 한 기억이 있다. 처음엔 화장실 변기에 문제가 생긴 줄 알았을 정도였다. 그리고 혼자 과일을 쪼개서 냄새와 함께 그 무엇과도 같이 생긴 내용물을 파먹은 그 저녁의 표현하기 어려운 이상, 희한, 오묘했던 경험. 그 후로 불행히도 나는 서우리엥과 친해지지 못했다.

　하지만 세월이 지나 최근 우연한 기회에 서우리엥을 맛볼 기회가 있었다. 그런데 참 이상한 일이다. 그렇게 친해지지 않던 맛이 슬쩍 혀끝을 타고 오면서 나도 모르게 손이 과일로 향하고 있었으니. 시간은 입맛도 바꾸어 놓는가 보다.

부스어 이야기

'부스어(Vú Sữa)'라는 이름의 과일이 있다. '부(vú)'는 여성(또는 남성)의 가슴, '스어(sữa)'는 '젖'을 뜻하는 말이다. 처음 이 이름을 들었을 때는 '어찌 과일에 이런 이름을 붙였을까 해괴하도다' 하겠지만 베트남 친구들이 시키는 대로 과일을 먹다 보면 이름 붙인 이들의 재치에 '과연 그렇군!' 하며 절로 무릎을 치게 된다.

부스어는 먹기 전에 우선 적당히 주물러야 한다. 제법 말랑말랑해졌다 느껴지면 칼을 들고 과일을 반으로 자른다. 이 과일은 껍질을 벗겨 먹는 것이 아니다. 숟가락을 들고 푸딩처럼 떠내어 먹는 것이다. 이때 여러분은 하얗게 고이는 '스어(sữa)'를 확인할 수 있다. 과육과 함께 맛을 보라. 기가 막히지!

과일의 가장자리는 색이 좀 다르고 거친 느낌이 든다. 이 부분은 먹지 않고 버리는 곳이다. 굳이 맛보고 싶다면 시도해 보라. 약간 떫은 섬유질 맛 외에 그리 독특한 것이 없다. 입맛 버렸지?

부스어를 영어로는 'Star Apple'이라고 부르는데 과일의 꼭지를 기준으로 횡으로 잘랐을 때 씨방의 형태가 마치 별과 같다 하여 그렇게 이름을 붙였다고 한다. 그러나 내가 보기엔 'Milk Apple'이 더 적당할 것 같다. 영어로 이름 붙인 사람이 누구인지 모르지만 베트남 사람들보다 상상력이 부족한 게 틀림없다.

 진짜 사이공 사람들이 어떻게 부스어를 먹는지 알려드릴 차례이다. 이 과일은 깎는 게 아니라고 했다. 껍질이 얇고 거의 과육으로 차 있기 때문에 반으로 자른 후 내용물을 떠먹기만 하면 된다. 위에서 설명한 것과 마찬가지이다. 그런데 부스어가 지천으로 열매 맺는 메콩 삼각주 지역의 아이들은 자기들만의 먹는 방법이 있다고 한다. 이들은 먼저 부스어를 들고 주무른다. 내용물이 우유처럼 묽어질 때까지 그렇게 한다. 충분히 주물러 과일이 말랑말랑해졌다면 그제야 꼭지를 따내어 과즙을 빨아 먹거나 마치 음료수를 마시듯 표면에 작은 구멍을 내어 빨대를 꽂고 빨아 마신다. 부스어는 맛도 좋을 뿐 아니라 포만감을 주어 배고픔을 잊게 해주니 아이들이 특별히 좋아한다. 정말 어머니의 젖과도 같이 고마운 과일이 아닐 수 없다.

고추가 너무 매워요

한국 속담에 '작은 고추가 맵다'는 말이 있다. 한국에서 편찬된 표준국어대사전에 따르면 몸집이 작은 사람이 큰 사람보다 재주가 뛰어나고 야무짐을 비유적으로 이르는 말이다. 그런데 작은 고추가 정말로 맵다. 사이공에서 음식을 시키면 반드시 따라 나오는 것 중의 하나가 있는데 그것이 고추(ớt)이다. 빨갛고 때론 파란 색깔의, 총총 채를 썬 고추가 조그만 접시에 담겨 나온다. 그런데 이때야말로 고추는 작은놈이 맵다는 것을 잊으면 안 된다. 안내하는 사람의 주의사항이 채 끝나기도 전에 고추 맛을 본 성질 급한 방문객들은 매운 고추 맛에 말 그대로 멘붕에 빠진다.

경험한 분들의 말에 의하면 베트남 고추는 한국의 청양고추보다도 맵다. 그 이유는 청양고추의 아버지가 여기 인도차이나이기 때문이다. 원래 청양고추는 대한민국의 고유 작물이 아니다. 태국의 고추를 들여와 제주 고추와 교배하여 얻어낸 것이 청양고추이다. 그래서 청양고추는 태국 고추의 매운맛을 타고났다. 베트남 고추도 태국 고추와 태생이 같으니 맵기로 어디서 빠지지 않는다. 이런 고추이고 보니 생식할 생각은 엄두를 내지 않는 것이 이롭다. 베트남에서 고추는 음식의 향과 풍미를 더하는 것으로 생각하면 된다. 퍼나 분보후에에 곁들여 나왔다면 국물에 넣어 맛을 더할 수 있다. 대부분의 음식에서는 간장과 함께 나오는데 이때 간장에 고추를 집어넣으면 간장 맛이 풍성해진다. 당연히 고추는 건져 먹는 것이 아니다.

맛의 완성, 느억맘

느억맘(Nước mắm)은 사이공뿐 아니라 베트남의 모든 사람이 가장 즐겨 먹는 전통소스이다. 그래서 많은 사람이 느억맘을 '베트남 맛의 완성'이라고 표현한다. 다시 말해 느억맘이 빠진 베트남 음식은 앙꼬 없는 찐빵과 같다는 얘기이다. 반쎄오(Bánh Xèo), 짜저(Chả Giò) 같이 느억맘을 찍어 먹는 음식들로부터 분짜(Bún Chả)와 같이 아예 느억맘을 끼얹거나 느억맘 액에 담가 먹는 음식에 이르기까지 느억맘은 빠지는 곳이 거의 없다.

느억맘의 원료는 주로 '까껌(Cá cơm)'이라 하는 멸치와 같은 생선이다. 한국의 멸치 액젓을 연상하면 쉽게 이해가 될 것이다. 그러나 느억맘은 생선 이외에도 지역에 따라 특산물인 오징어, 새우, 게 등 다양한 재료가 사용된다. 느억맘을 영어로 '생선 소스(Fish sauce)'라 하는데 최근에는 고유명사로 '느억맘 소스(Sauce nước mắm)'라고 표현하는 경우도 점차 늘어나고 있다.

느억맘으로 유명한, 사이공에서 가까운 곳은 '판티엣(Phan Thiết)'과 '푸꾸옥(Phú Quốc)섬'이다. 판티엣은 베트남에서 가장 오랜 느억맘 산지로써 전통적인 명품들은 이곳에서 출시된다. 최근 들어서는 푸꾸옥에서 생산한 느억맘이 이에 도전장을 내고 시장을 넓혀가고 있다. 나는 두 곳의 느억맘 제조지를 모두 돌아보았는데 만드는 방법에 약간의 차이가 있기는 하지만 품질만큼은 우열을 가릴 수 없을 정도로 훌륭했다. 그 외에도 해안을 가진 여러 도시에서 느억맘을 생산한다. 그러니 판티엣이나 푸꾸옥을 방문할 기회가 있다면 전통 방식으로 제조한 느억맘 한 병 사들고 오는 것은 필수이다.

느억맘은 근해에서 잡은 싱싱한 까껌을 깨끗하게 일차 가공한 후 오로지 소금으로만 버무려 항아리나 대형 나무통에 넣고 발효시킨다. 느억맘은 발효시간에 따라 농도가 달라지는데 소스가 담긴 병에 써진 숫자를 통해 농도를 구분할 수 있다. 숫자가 높을수록 농도가 짙다.

식사를 위해 느억맘 소스를 만들어 낼 때, 북부지방에서는 라임, 소금, 식초 외에 돼지고기와 새우 등을 갈아 넣어 맛을 낸다면, 후에를 중심으로 하는 중부지방에서는 라임과 설탕은 아주 조금만 넣고 새우 삶은 물을 부어 타 지역의 느억맘보다 짙은 맛을 내는 것이 특징이다. 사이공을 비롯한 남부 지방에서는 라임, 설탕, 코코넛액, 파인애플 등을 넣어 맛을 가볍고 새콤하게 하며 향도 부드럽게 만든다. 느억맘의 본고장인 판티엣에서는 가지, 토마토, 또는 파인애플을 주원료로 하고 여기에 고추와 마늘 다진 것을 섞어 느억맘 소스를 만드는데 독특한 이 맛에 빠져드는 사람들이 많다고 한다.

신또 예찬

신또(Sinh Tố)!

이는 듣기만 하여도 가슴이 설레며 갈증이 씻기는 말이다!

나는 신또를 처음 경험했던 한동안 이 말을 입에 달고 살았다. 수필가 민태원 님의 '청춘예찬(靑春禮讚)'에 나오는 첫 대목 '청춘(靑春)! 이는 듣기만 하여도 가슴이 설레는 말이다'를 인용해 가면서.

신또는 베트남어로 '비타민'이라는 뜻이다. 연중 무더운 사이공에서는 다양한 열대 과일들이 나는데 이 과일들을 얼음과 함께 믹서기로 갈아 낸 것이 신또이다. 베트남에서는 믹서기를 아예 '마이 신또(Máy sinh tố)'라고 한다. 마이 신또는 '신또를 만드는 기계'라는 뜻이다.

신또에는 더위와 갈증을 이겨내는 사이공 사람들의 지혜가 담겨 있다. 비타민을 비롯해 각종 영양이 담뿍 담겨있는 과일과 야채를 이용하여 얼음을 함께 넣어 갈아 마시면 이것 한잔만으로도 지친 심신이 깨어나고 열기가 사라지는 느낌을 받는다.

'신또 즈어허우(Sinh tố Dưa hấu)'는 수박으로 만든다. 그러니 해열효과가 뛰어나 더위에는 그만이다. 한국 사람들이 좋아하는 망고도 신또로 인기이다. 그것이 '신또 쏘아이(Sinh tố Xoài)'이다.

'신또 망꺼우(Sinh tố Mãng cầu)'는 비타민과 단백질, 미네랄이 함유된 건강과일 망꺼우로 만든다. 망꺼우는 그냥 먹는 것과 신또로 먹을 때의 맛이 다르다. 훨씬 맛있다!

요즘은 고급 커피전문점에서 '스무디(Smoothies)'를 '신또'라 하여 판매하는데 그것은 스무디이지 진짜 신또가 아니다. 신또는 거친 얼음 알갱이와 더불어 펄펄 뛰는 과일의 살아 있는 생명을 느끼게 하는 맛이지 부드럽고 얌전한, 예쁜 컵 안에 담긴 관상용 음료가 아니다. 도시의 개발로 점차 사라지는, 골목마다 있던 한두 평짜리 신또 가게에서 팔던 진짜 신또가 그립다.

향채, 라우텀

누군가 내게 사이공에서 생활하는 동안 더 잘 알고 싶은 것이 있다면 무엇이냐고 묻는다면? 오토바이? 열대 과일? 부동산 투자법? 아니다. 나는 '허브(Herb)'라고 대답하고 싶다. 사이공의 식당에서는 그곳이 고급 레스토랑이든, 시장통의 허름한 식당 어떤 곳이든, 아니면 그곳이 왕실의 음식을 다루는 곳이든, 퍼 한 그릇을 말아주는 곳이든 빠지지 않고 놓이는 것이 허브이다. 그런 점에서 사이공만큼 신선한 허브를 때마다 음식마다 곁들여 주는 곳이 또 있을까 싶다. 허브를 사용하는 나라들이 많지만 음식에 첨가하는 경우가 대부분인데 베트남에서는 북부이건 남부이건 채소와 더불어 허브를 별도로 한 소쿠리 내어놓으니 말이다. 특히 신선한 야채가 풍성한 사이공에서는 두말할 나위가 없다.

허브를 베트남어로는 '라우텀(Rau thơm)'이라 하는데 '라우(Rau)'는 채소, '텀(thơm)'은 '향기'를 말하는 것이니 '향채(香菜)'가 딱 맞는 말이겠다. 향채는 아주 오래전부터 입맛을 돋우기 위해 즐겼는데 향이나 맛을 위해서만이 아니라 약용으로도 널리 알려져 있다. 사이공 사람들에게는 육류가 뜨거운 성질을 가졌으므로 야채와 향채를 같이 곁들임으로써 이를 중화시킨다는 전통적인 지식이 전해진다. 그래서 러우(Lẩu) 같이 고기가 들어가는 전

골 음식에 빠지지 않을 뿐 아니라 각종 고기구이를 즐길 때도 채소와 더불어 많은 향채를 곁들인다.

이렇게 사이공 사람들과 친숙한 허브는 음식에 따라 내어놓는 종류가 다르다. 예를 들어 퍼(Phở)를 먹을 때 항상 따라 나오는, 바질(Basil)'의 한 종류인 '라우훙꿰(Rau húng quế)'는 외국인이 먹기에도 부담이 없다. 깻잎처럼 생겨서 금방 구별이 되는 '띠아또(Tía tô)'는 향이 그리 강하지 않아 많이 찾는다. 띠아또는 '소엽' 혹은 '매기풀'이라고 부른다. '약모밀'로 알려진 '라우지엡까(Rau diếp cá)'는 비린내가 있는 향채로 월남쌈에 어울린다. 하지만 외국인들은 좋아하지 않는 이도 많다. 각종 구이류나 해산물에는 또 그것에 어울리는 각기 다른 허브를 사용한다.

허브의 사용은 음식으로 끝나는 것이 아니다. 허브를 사용한 민간의 전통은 아주 다양하다. 나이 들어 흰머리가 늘어갈 때 머리카락을 검게 하는 허브도 있고, 아이의 알레르기를 가라앉게 하는 허브도 있다. 또 인체의 면역성을 증가하고 혈액 순환을 돕는다 하여 감기몸살이 났을 때 약용 허브를 한 솥 푹 삶아 이불을 뒤집어쓴 채 허브의 열기로 땀을 내게 해 건강을 회복하도록 돕기도 한다. 이러한 성질을 이용하여 허브를 사우나의 첨가물로 사용하는 건강사우나도 있다.

재래시장을 다녀 보면 사이공에 얼마나 많은 허브가 있는지 새삼 놀라게 된다. 이름을 알기도 어렵지만 각각의 특성들이 다 있다 하니 허브, 정말 그것이 알고 싶다.

베트남의 변화, 도이머이(Đổi Mới)

　베트남의 변화에 대해 설명하려면 '도이머이(Đổi Mới)' 정책에
대해 말하지 않을 수가 없다. 도이머이는 1986년 제6차 공산당 전
당대회에서 제기된 슬로건으로 대내적으로는 자유경제체제를 도
입하고 대외적으로는 글로벌 경제에 편입되고자 한 정책이었다.
이로 말미암아 베트남은 산업화된 현대국가로 진입하게 되었다.

　도이머이의 '도이(Đổi)'는 '바꾸다'라는 뜻이고 '머이(Mới)'는 '새
롭다'는 의미의 베트남어이다. 이를 직역하면 '새롭게 바꾸다'가
된다. 말 그대로 도이머이는 지금까지와는 다르게 정책의 방향을
전환하여 새롭게 세우겠다는 의지의 표명이었다.

　1975년 오랜 전쟁이 끝나고 통일을 달성했지만 국가의 운영은 녹
록하지 않았다. 350~450%에 달하는 하이퍼 인플레이션과 높은
환율, 그리고 믿었던 소련과 동구권 국가들이 해체되거나 몰락하
면서 심각한 경제위기를 맞게 된 것이다. 인민의 삶은 갈수록 피
폐해져 갔다. 이때 베트남의 힘이 나타난다. 당시 정책결정자들
이 자신들의 미숙함을 깨닫고 잘못되었음을 인정한다. 그래서 도
이머이라는 신조어로 새로운 정책의 방향을 삼았다. 정치와 경제

를 분리한 중국을 참고로, '사회주의 지향형 발전'의 이념을 계승하되 과거를 문제 삼지 않고 나라와 인민에 이익이 되는 일이라면 받아들인다는 실용주의 개방노선을 틀로 잡아 새롭게 출발하게 된다. 그러므로 도이머이 정책으로의 전환은 베트남의 개혁과 대외개방, 현재에 보이는 경제적 발전의 시작이었다고 말할 수 있다.

그런데 한 가지, 간과하지 말아야 할 것이 있다. 경제체제가 아무리 시장주의를 따르고 자본주의적으로 변한 듯 보인다 해도 정치체제가 변했다는 뜻은 아니다. 다시 말해 정치적 이유로 인해 지금까지의 행정절차가 뒤바뀔 수도, 정치적인 목적을 달성하기 위해 시장의 분위기를 경색시킬 수도 있다는 얘기이다. 체제전환국가의 리스크가 여기에 있다.

IV

사이공, 함께 살아가는 지혜

푸미흥의 어느 까페 풍경

사이공에서 산다는 것

　사이공은 이상한 도시이다.

　처음 와보아도 낯설지 않다. 왠지 언젠가 한 번은 와보았던 듯한 착각을 하게 한다. 처음 만나는 사람도 처음이 아닌 것 같고 처음 먹는 음식도 이미 입맛에 맞아 버렸을 때, 사이공에 도착해 보낸 하루는 이미 일 년을 넘긴 것처럼 익숙하다.

　사이공 사람들은 친절하다. 눈이 마주쳐도 미소로 답하는 여유를 가지고 있다. 사이공에서 보낸 한 달째는 내가 이들 사이에서 더 이상 다른 존재가 아니라는 푸근함을 느끼게 된다.

　그렇게 세월을 하루처럼 보내고 한 달처럼 보내고 뒤돌아서니 이미 십 년을 훌쩍 넘겼음을 깨닫게 될 때.

　여전히 처음 가는 장소는 낯설지 않고 음식도 입에 익숙하며 나를 향한 사람들의 미소가 그대로 임에도 사이공은 더 이상 친절하지 않다. 그 순간, 이 도시를 안 것 같다 생각한 그 순간, 불현듯 내가 알아온 대부분의 것이 사실이 아니라는 자괴감에 빠져든다. 십 년을 지내고 얻은 익숙함이 더 이상 탈 것이 없어 공중으로 흩어지는 재처럼 나부끼고, 다시 하루도 지내보지 않은 장소에서 남이 입다 버린, 맞지 않는 옷을 입고 있는 것처럼 불편하다. 넘치는 사람들 속에서 내가 홀로 있는 이방인임을 몸서리치며 깨닫는다.

티삭 거리의 청소부 아저씨

동아시아의 진주

 남의 땅을 빌어 사는 이방인인 우리도 한 해 한 해 생활을 더하다 보면 사는 도시에 대한 애틋한 정이 생기기 마련이다. 자기가 생활하는 도시를 욕하다가도 남이 욕하는 꼴은 보지 못하는 것도 정이 쌓인 이유이다. 하노이로 들어온 사람은 하노이대로, 사이공에 정착한 사람은 사이공대로 밉든 곱든 정을 쌓아 가고 산다. 우리도 그러한데 프랑스 사람들에게 이 도시는 어떤 느낌일까?

 사이공의 시 중심부에는 프랑스 식민시절의 흔적이 곳곳에 남아 있다. 실제로 프랑스 식민주의자들은 사이공을 건설하며 모국의 도시, 파리를 염두에 두고 계획했다고 한다. 그들은 지금의 레주언(Lê Duẩn), 동커이(Đồng Khởi), 레러이(Lê Lợi), 응우옌후에(Nguyễn Huệ) 도로를 도시의 동서남북을 가로지르는 네 개의 주요 도로로 삼고 이 도로들이 만나는 장소에 로터리와 광장을 설계하고 가로를 정비하고 높게 자라는 나무들을 심었다. 그리고 그 정점에 중요한 건축물들을 계획하였다. 지금도 퇴색하지 않는 아름다움을 자랑하는 오페라 하우스와 성모성당, 시인민위원회 청사, 그리고 벤탄 시장과 같은 건축물들이 그것이다. 역사의 아이러니지만 오늘날에도 사이공을 돋보이게 하는 것은 프랑스 식민시절의 건축과 도시환경이다. 이러한 환경들과 동양의 이미지가 절묘하게 만나 어우러져 새로운 감흥과 색채를 번지게 하는 곳, 그런 도시가 사이공이다. 그러니 아마도 그들에게 물어보면 모두가 감회 어린 눈으로 이 도시를 돌아볼 듯하다. 그것은 식민 시절을 추억하거나 그리워해서가 아니라 그러한 세월을 거쳐 이 도시가 가지게 된 특별한 인상들로 말미암아서이다. 어디선가 읽었던 한 서양인의 눈에 비친 20세기 초 사이공의 인상을 옮긴다. 그는 이렇게 노래했다.

"아! 멋진 도시, 사이공! 사람들이 이 도시를 좋아한다지만 아무도 그 이유를 모른다네. 어쩌면 그 공간 때문일까, 아니면 최면 때문일까, 그것도 아니라면 하얀 사각형의 집들이 그리스의 조그마한 무덤같이 보이는 곳에 우거진 무성한 신록 때문일까."

무성했던 수목과 습지로 이루어진 항구로 시작했던 이 도시는 '동아시아의 진주(Hòn ngọc Viễn Đông)'라고도 하고 때로는 '동양의 파리(Paris của phương Đông)'라는 별명으로 불려 왔다. 아름다움을 칭송하는 이름 뒤에 식민 도시의 그늘이 짙게 드리워진 이 화려한 수식어는, 은퇴한 가수의 늘어진 노랫소리처럼 시대의 애환을 뒤로 한 채 그저 과거의 어느 한때를 추억할 이름으로 역사 속으로 사라져 가고 있다.

그리고 모든 것이 변했다. 전쟁의 종식과 더불어 과거의 별명도 사라지고 국부로 추앙 받는 호찌민 주석의 이름을 이어받아 시의 이름마저 달리한 이 도시가 달려온 길은 격변이라고 밖에는 설명할 수가 없다. 말 그대로 '상전벽해(桑田碧海)', 뽕나무밭이 푸른 바다로 변한 형국이다. 이제 사이공은 인구 천만 명이 넘는 메가시티(Mega city)가 되려 한다. 마치 용광로 속의 쇳물처럼 사이공 전체가 뜨겁게 끓어오르며 새로운 모습으로 탈바꿈하기 위해 요동치고 있다. 앞으로 몇 년 후에는 예전의 이 도시, 낭만적인 별명으로 기억되었던 모든 이미지는 탈피한 나비의 옛 몸처럼 사라지고 현대적 도시의 화려함으로만 다가올지도 모른다. 그때는 이 도시를 일컬었던, 다른 도시의 이름을 빌어 동양의 파리라 불렸던 과거는 잊혀지고 20세기 초 어떤 방문자가 읊었던 감상과는 또 다른 이야기가 회자될 것이다.

우리가 그때 이 도시에 있었다고. 한때는 동아시아의 진주라고 불렸고 지금은 이미 거대해진 도시화의 물결 속에서 거칠게, 그러나 매력 넘치게 자라가는 이 멋진 도시에 살았다고.

다문화 도시 사이공

　사이공에는 외국인이 참 많다. 많을 뿐 아니라 계속 늘어나고 있다. 그러다 보니 특정한 외국 사람들이 거주하는 지역이 생기고, 특정한 종교를 가진 외국인들을 위한 시설이 생기고, 그들이 직접 운영하는 교육, 식음을 비롯한 각종 편의시설이 나날이 늘어간다. 그러고 보면 베트남 사회, 특히 사이공은 이미 다문화 사회로 들어섰다고 말할 수 있다. 이러한 현상을 가져온 가장 직접적인 원인은 최근 십여 년 동안의 경제적 고성장이다. 그리고 외국인에 대한 사이공 사람들의 개방적 수용성이 그를 뒷받침하는 배경이라고 생각된다.

　사이공이 성장과 더불어 지속적인 개발의 필요성을 가지고 있고 풍부한 자원과 일할 수 있는 인력의 공급은 물론 충분한 상품의 소비처이기도 하므로 마땅한 투자처를 찾지 못하는 글로벌 자금이 모이는 것은 너무나 당연하다. 이러한 추세는 앞으로도 당분간 이어질 것이라는 것이 일반적인 예측이다. 이에 따라 국적별로 외국인들의 거주지나 많이 모이는 장소가 자연스럽게 형성되었다. 사이공의 5군, 6군처럼 오래전부터 차이나타운으로 알려진 지역도 있고 7군의 푸미흥 지역과 같이 한인타운으로 부상한 지역도 있다. 또 1군의 레타인똔과 같이 일본인 거리로 알려진 곳도 있다. 놀랍게도 한국인은 사이공 거주 외국인 국적 가운데 가장 많은 수를 점유한다. 시내에서 한국 음식점, 한국계 마트를 찾는 것은 더 이상 어려운 일이 아니다. 한국뿐 아니라 규모는 작지만 러시아 시장, 심지어 아프리카타운도 형성되어 있다. 프랑스인, 이탈리아인, 인도인 등에 의해 직접 운영되는 레스토랑도 쉽게 찾아볼 수 있다. 지금은 한때 다수를 차지하던 영어교사나 자영업자들 보다 각 나라의 기업에서 파견 나온 주재원, 현지에서 취업한 외국인의 수가 훨씬 더 빠르게 늘어나는 상황이고 여기에 베트남 사람과 결혼하여 생활의 터전을 아예 이 도시로 정해두고 사는 사람들이 도시의 다문화화에 일조하고 있다. 그런 탓인지 가끔 내가 외국인이면서 이방인이 아닌 듯한 위험한 착각에 빠질 때가 있다.

사이공에서 외국인으로 사는 것은 그리 불편하지 않다. 약간의 언어적인 문제가 발생하고 사회시스템이 다르긴 하지만 그것이 이곳의 삶을 다시 고려하게 할 정도로 심각한 이유가 되지는 않는다. 오히려 그런 사소한 불편으로 말미암아 외국인으로써의 정체성을 다시 돌아보게 되고 이곳의 사람들과 함께 어울려 살 수 있음에 감사할 수 있게 된다. 이런 사이공의 다문화성은 타민족의 문화를 쉽게 포용하는 사이공 사람들의 유연한 자세와 실용주의

적 사고의 경향 때문이라고 생각이 된다. 역사적으로 그들은 다른 민족들을 적극적으로 수용하면서 살아왔다. '북거(北拒)'하며 중국의 침입에 대항하면서도 북부의 많은 소수민족과 관계를 형성한 월족의 태도가 이것이고, '남진(南進)'을 정책으로 영토를 팽창시켜 나가면서 남부의 민족을 수용한 그들의 역사가 이를 증명한다. 그래서 베트남은 오십사 민족이 모여 살고 있음에도 전체가 하나의 민족이라는 '동포(同胞)'의식을 갖고 있다. 건국신화에서도 이런 면모가 여실히 드러난다. 베트남 민족은 락롱꾸언과 어우꺼를 민족의 기원으로 여긴다. 이 신화에 건국의 아버지인 훙브엉의 탄생에 대해 설명되어 있는데 그들은 하나의 삼에 담긴 일백 개의 알로 태어났다. 락롱꾸언과 어우꺼가 각기 오십 명의 자식들을 이끌고 헤어질 때도 그들은 '산에 있든 물에 있든 무슨 일이 생기면 서로 알리고 관계를 끊지 맙시다' 하여 모두가 하나로 연결되어 있음을 강조했다. 역대 훙왕도 단일한 한 왕을 가리키는 것이 아니라 열여덟 명의 왕인 것을 보면 이 땅에 사는 다양한 집단에 대하여 갖는 그들의 단일한 민족의식을 엿볼 수 있다.

이미 오래전부터 그들의 유전인자에 담겨있는 이런 특성으로 말미암아 사이공 사람들은 동양인이면서 동양적 사고로부터 벗어난 듯한, 경계하면서도 폐쇄적이지 않은, 친절하고 유약한 듯하면서도 강한, 많은 수의 민족이 어울려 있으면서도 하나로 쉽게 결속되는, 인도차이나반도에 속했으면서도 다른 나라들과 확연히 구분되는, 다양성에 대한 포용력 있는 특이한 '경계의 특성'을 가지고 있다고 할 수 있다. 경계의 특성이란, 양측의 차이를 수용하고 녹여내어 자신의 것으로 하되 경계를 특정하는 '선'의 형태를 잃지 않고 유지하는 문화적 특성을 말한다. 이런 특성이 그들이 경직된 체계 안에 있으면서도 '도이머이(Đổi Mới)'라는 정책을 전격적으로 수용할 수 있고, 전쟁으로 피해를 입힌 상대들에게 먼저 손을 내밀 수 있으며, 이 땅에서 사는 나와 같은 외국인들에게 함께 할 자리를 허락할 수 있게 하는 것이리라.

과거의 영화는 녹슬고

세월이 지나면 모든 것이 변해 간다. 과거의 영화는 녹슬고 새로운 것이 그 자리를 대신한다. 이 도시는 너무나 빨리 변한다. 강변을 가득 채웠던 판자촌이 어느덧 사라지고 생소한 아파트가 촌을 이루었다. 습지여서 길을 건너기 어렵던 장소에 도로가 나고 이제는 불과 오 년 전 모습을 기억하기도 어려운 시절을 맞고 있다. 사이공의 얼굴 중 하나인, 이 도시를 넘치게 채우고 있는 오토바이들도 어느 때가 되면 지난 추억거리로 사람들 입에 오르내리게 될 날이 올 것이다. 그 전조를 푸뉴언(Phú Nhuận) 군의 중고 오토바이 거리에서 본다.

사이공에 들어와서 구입한 내 두 번째 오토바이의 고향이 푸뉴언이었다. 사이공에는 중고 오토바이를 거래하는 가게들이 모여 있는 거리가 여럿 있지만 푸뉴언 군의 '호앙반투(Hoàng Văn Thụ) 거리'와 '판당르우(Phan Đăng Lưu) 거리'는 단연 그들을 대표한다. 점포의 수로도, 역사로도 다른 거리를 압도하는 이 거리에는 이십 년 넘게 중고 오토바이 거래를 하는 가게도 있다. 이 유명한 중고 오토바이 거리는 1996년 후반부터 차츰 형성되기 시작했다. 그러던 것이 이천 년 대 초반부터 번영기를 구가했다. 오토바이 거래의 활황은 거리의 확장을 불러왔고 판당르우의 오토바이 거리는 빈타인(Bình Thạnh) 군을 넘어 12군까지 경계 없이 뻗어갔다. 경제가 발전하고 수입 오토바이들이 넘쳐나자 수리를 맡기는 사람은 물론 중고를 찾는 이들도 덩달아 늘어갔다. 기술자들은 끊임없이 일을 했고 일은 넘쳐만 갔다. 적어도 그때는 그랬다.

그런데 마지막은 갑자기 오는 법이다. 예고는 짧았고 신호를 이해하는 사람은 적었다. 끝없이 호황일 줄 알았던 사업은 경쟁의 도가니 속으로 떠밀려 들어갔고 풍족해진 시민들의 지갑은 중고 오토바이 거리를 찾는 대신 새로운 모델을 전시한 신축 매장을 향해 열렸다. 새로운 것을 찾아 떠난 사람들의 마음은 냉정했다. 종이에 잉크가 스미듯 번져가던 중고 오토바이 거리는 빠르게, 뻗어 갔던 것보다 더 빠르게 축소되었다. 마치 처음부터 아무 일도 없었던 듯이.

지금 사이공에 와서 판당르우 거리를 지나는 사람들에게는 이 거리가 여전히 중고 오토바이 가게들로 넘쳐나는 거리로 비치겠지만 이 거리를 아는 사람들에게는 과거 번영의 마지막에 사그러지는 불씨를 지켜보는 듯한 쓸쓸한 느낌이 들 것이다. 이제 이 거리를 찾는 사람들은 경제적 여력이 없는 노동자 혹은 학생들이거나, 구형 오토바이를 좋아하는 나이 든 사람들이다.

자전거가 다니던 거리를 어느 순간 오토바이가 가득 채웠고, 이

시대가 끝나지 않을 듯 얘기했지만 그도 구석으로 떠밀려 가고 있음을 이 거리에서 바라본다. 세월의 무상함과 함께.

변한 것들, 변해 가는 것들

내가 사이공에 머문 세월 동안 변한 것을 세 가지 꼽는다면? 물론 지나온 십 년 동안 바뀐 것은 한두 가지가 아니다. 이 도시를 상징하는 오토바이가 늘면서 시클로가 교통 정체의 주범으로 찍혀 도심 운행을 금지했을 때가 엊그제인데 승용차가 늘어나고 오토바이가 도심 정체의 주범이라고 시 중심의 통행 제한에 대해 논의하고 있으니 이것부터 놀라운 변화이다. 2군 지역의 투티엠(Thủ Thiêm)은 어떠한가? 온통 습지와 늪의 천국이고 건너가려면 사람과 오토바이를 함께 싣는 페리를 타고서야 갈 수 있던 곳이 사이공에서 도시개발의 핵심지구로 지정되고 복합금융업무타운으로 변모해 가고 있다. 거리에 늘어진 전선? 아직도 이면도로로 들어서면 여전히 위험스레 늘어져 있지만 큰 길가의 전선들을 지중 매설하기 시작하면서 거리가 시원해졌으니 그 또한 바뀐 모습 중의 하나라 할 수 있다. 그런 여러 가지 변화 속에서 나는 이런 세 가지를 꼽는다. 거리의 상점에 문이 달린 점, 여성들이 굽이 높은 힐을 신는다는 점, 그리고 양산이다.

거리의 상점에 문이 달렸다. 과거 거리에 면한 가게들은 거의 전면이 뻥 뚫려 있었다. 내, 외부가 경계 없이 관통하는 하나의 공간이 되었던 셈이다. 과일 가게도, 옷 가게도, 약국도 문이 없었다. 그럼 영업을 마치고 집에 갈 때는 어떻게 하냐고? 문이 달려야 할 위치에 셔터가 있으니 그것을 내리면 된다. 셔터가 유일한 경계였다. 그런 상점들에 어느 날부터 문이 생기기 시작했다. 전면을 유리로 막기 시작했고 상품들이 가게 앞에 전시되었다. 손님이 도착하면 예전에는 오토바이에 탄 채로 그냥 밖에서 주인을 불렀다. 그런데 지금은 문을 열고 가게로 들어가는 풍경이 생겼다. 유리문이 달려 있다는 것은 문을 닫아도 시원하게 실내 온도를 유지할 수 있도록 에어컨이 설치되었다는 것이고, 에어컨이 설치되었다는 것은 그만큼 전력 사정이 좋아졌다는 의미이다. 2008, 9년 때만 해도 산업단지도 월 1회는 예고 단전을 했고 주거지역 같은 경우는 예고도 없이 정전이 되었다. 회사에서 업무를 마치고 돌아와 냉장고에서 성에와 얼음 녹은 물이 새어 나온 것을 청소하는 일은 달마다 한두 번씩 겪는 일상이었다. 그러던 것이 달라졌다.

둘째는 여성들이 굽이 있는 힐을 신는다는 점이다. 십 년 전에는 온통 슬리퍼 천지였는데 힐을 신는다. 슬리퍼에서 힐로의 변화는 여성들에게 다른 변화를 끌어왔다. 청바지 일색에서 한껏 길어진 다리를 자랑할 수 있는 치마로 변해갔고 그 길이는 점점 짧아지고 있다. 한국에서 유행한 '하의실종 패션'을 사이공에서 볼 날도 멀지 않은 듯하다. 여성의 변화는 머리 모양에서도 드러난다. 머리를 염색하는 것을 방정치 못한 여자로 여겼으나 지금은 자연스럽게 머리 염색을 한다. 긴 머리를 여성의 아름다움을 드러내는 상징으로 여겼으나 숏커트의 여성들도 심심치 않게 본다. '단정치 않다'는 표현에서 '모던걸'이라는 표현으로 바뀌었다. 무엇보다 힐은 이동수단이 고급화되었다는 것을 의미한다. 굽이 있는 힐을 신고는 구형 오토바이를 탈 수 없다. 다리를 가지런히 올려놓고도 운전이 가능한 상대적으로 비싼 스쿠터형 오토바이를 타거나 여유가 있다면 자동차를 타야만 가능하다. 힐을 신는다는 것은 경제적으로 여력이 생기고 미의식이 변해 감을 보여준다.

그리고 양산을 쓴다. 더운 나라에서 햇살을 피하려고 양산 쓰는 것도 변화냐고? 그렇다. 비 올 때 우산 쓰는 것도 이제야 보는데 양산 쓰는 것을 보고 놀라는 것은 십 년 차 외국인에게 당연하다. 햇빛을 최고의 적으로 여기는 그들에게 햇빛을 피하는 세련된 방법이 생긴 것이다. 그런데 양산에는 더 큰 의미가 있다. 걸을 수 있는 거리가 생겼다는 것이다. 사이공의 보행로 사정은 정말 심각하다. 그나마 있는 보행도로 오토바이 주차장으로 변해 버려서 사람들이 인도를 두고 차도로 피해 걸어야 하니 위험천만이다. 게다가 보행도로 상태가 걸을 만한 수준이 아니었다. 그러던 것이 이제 양산을 들고 걸을 수 있는 거리들이 생겨났다는 것이다. 양산은 도시가 변모되고 있음을 상징하는 이미지이다.

그런데 이것도 몇 년 전 대답이다. 요즘 와서는 뭐가 가장 변해

가는 것 같으냐고 누가 묻는다면 "제 몸이요"라고 답하고 싶다. 근래에 들어서는 연중 한두 번씩 감기몸살을 앓게 되니 말이다. 사이공에서도 감기에 걸리냐고? 일 년 내내 삼십 도를 오르내리는 이 도시에서 감기에 걸릴 수 있을까? 그렇다. 여기도 환절기가 있다. 건기에서 우기로, 우기에서 건기로 바뀌는 때가 특별히 그렇다. 습도의 차이가 생기고 기온의 차이가 생기는데 이때 적응하지 못한 신체의 면역력이 약해졌을 때 감기에 잘 걸린다. 한번 걸리면 두 주일은 각오해야 한다. 삼십 도가 넘는 더위에 오한을 느껴야 한다.

몸이 바뀌어 간다

사이공에 체류하고 사, 오 년을 넘기고부터 한국에 들어가는 것이 왠지 불편하게 느껴지기 시작했다. 지금은 한국에 들어갔다가도 오래 머물지 못하고 돌아온다. 떤선넛 국제공항에 도착해 만나는 뜨거운 바람과 오토바이들이 내뿜는 매캐한 매연들, 공기 곳곳에 배어있는 느억맘 냄새를 한 움큼 들이키고 나야 비로소 고향에 돌아온 듯 안도하게 된다. 참 희한한 일이다.

그러고 보니 어디에선가 읽은 구절이 있다. 인간이 바뀐 환경에 적응하는데 7년 정도가 걸린다 한다. 기온과 날씨가 다른 곳에서 세포가 상황에 최적화되기까지는 결코 짧지 않은 시간이 필요한 셈이다. 그런데 어느덧 십 년의 세월을 넘겼으니, 몸이 베트남화 되지 않는 것이 더 이상한 지도 모른다.

지금은 누군가 길을 물을 때 베트남어로 묻는다. 더 이상 외국인으로 보이지도 않는 모양이다. 차라리 그게 좋다. 기왕 이 나라에서 이 땅의 사람들과 어울려 산다면 그렇게 바뀜이 행복한 일이다.

늦가을이다. 가을이면 또 서울은 얼마나 좋은가. 그런데 기대에 부풀어 내린 인천공항에서 추위를 느껴야 했을 때, 늦가을 사이에 낀 차가움이 피부 사이사이를 찌를 때, 더 이상 한국의 가을이 내게 친절하지 않음을 깨닫게 된다. 내가 얼마나 베트남스러워졌는지 알게 되는 순간이다. 아마도 감기를 앓을 모양이다.

수구초심(首丘初心)

　하노이와 사이공은 그 분위기가 사뭇 다르다. 처음 방문하는 사람들도 금방 느낄 정도이다. 그래서 어떤 분들은 한 나라 안의 두 도시가 아니라 두 나라의 각기 다른 도시를 보는 것 같다고까지 말한다.

　생성의 기원도 그런 분위기에 한몫했을 것이다. 비엣(Việt)족의 중심도시였던 정도 1,000년을 넘긴 수도 하노이는 오랫동안 중국의 영향으로 알게 모르게 오랜 동양의 고도시(古都市) 분위기를 풍긴다. 반면 17세기 재상 응우옌흐우까인(Nguyễn Hữu Cảnh)에 의해 베트남에 편입된 사이공은 프랑스 식민제국의 손아래 도시의 기본 골격이 갖춰지면서 유럽과 아시아의 문화가 절묘하게 조합된 크로스오버지역으로 탈바꿈되었다. 그러니 두 지역의 분위기가 상이할 수밖에 없다. 게다가 남북으로 길게 이어진 국토의 형태 때문에 자연과 기후조건이 다르고, 사람들의 기질도 차이가 있어 이들이 모여 도시의 전반적인 분위기를 다르게 하는 듯 보인다.

　외국인 친구들에게 물어보았다. 하노이와 사이공 중 어느 도시가 더 좋으냐고. 답이 무엇이었을까? 하노이에 사는 사람들은 대부분 하노이를, 사이공에 사는 사람들은 대체로 사이공을 선호한다 답했다. 사람들은 자기가 처음 머물러 사는 도시에 더 애착을 느끼는 것 같다. 처음 하노이에 정착해 거주했던 사람은 사이공의 날씨와 환경이 좋다고는 생각하지만 하노이의 고즈넉함과 고도시의 풍광에 매력을 느낀다고 한다. 사이공에 사는 사람들은 또 나름의 이유를 말한다. 결론적으로 도시가 갖는 환경조건의 문제 때문이 아니라 자신의 첫정이 든 도시를 더 애틋해한다는 것이다. 대체 그놈의 정이 무언지.

'수구초심(首丘初心)'이라는 말이 있다. '예기(禮記)' 단궁상편(檀弓上篇)에 나오는 말로 여우가 죽을 때 머리를 자기가 살던 굴 쪽으로 바르게 하고 죽는다는 뜻이다. 은나라 말기에 주나라를 세우는데 혁혁한 공을 세운 강태공이 그 공로로 영구(營丘)라는 곳에 봉해졌다가 그곳에서 생을 마치는데, 그를 포함하여 5대손에 이르기까지 모두 다 주나라 땅에 장사 지낼 것을 유언한다. 이를 두고 사람들이 이렇게 말했다 한다.

"고지인유언 왈호사정구수인야(古之人有言 曰狐死正丘首仁也)." 음악은 자연히 발생하는 것을 즐기며 예란 그 근본을 잊어서는 안 된다. 옛사람이 말하기를, 여우가 죽을 때 머리를 자기가 살던 굴 쪽으로 향하는 것을 인이라고 하였다는 뜻이다. 여기서 유래한 수구초심은 고향을 그리워하는 마음 혹은 근본을 잊지 않는 마음을 가리킨다.

자신이 첫정을 들인 도시도 그렇듯 애정을 갖는데 바다 건너 멀리 떨어진 대한민국, 나의 조국은 어떠할까. 사람들이 나이가 들수록 고향 생각을 하고 고국의 산천에 몸을 묻고 싶어 하는 이유를 이해할 수 있다.

한국에서 들려오는 소식들이 어지러울 때마다, 아무리 귀를 닫고 상관없이 살고자 해도 그럴 수 없음을 알게 하는 것이 조국이다. 문득 애틋하고 애절한 마음으로 떠나온 나라와 그리운 이들을 떠올려 본다.

오토바이를 타세요

　사이공에서 파견 근무를 나온 한국 주재원들에게 나는 오토바이를 탈 것을 권유한다. 대부분의 경우는 본사에서 위험하기 때문에 허락하지 않는다는 대답을 한다. 이해한다. 그러나 자기가 머무는 곳에서 '일하는' 사람이 아니라 '이해하는' 사람으로 일하고 싶다면 사이공에서 오토바이를 경험하는 것은 필수이다.

　오토바이를 탄다는 것은 이 도시의 사람들과 눈높이를 같게 하겠다는 의지의 표현이다. 사이공의 소비자 문화가 오토바이 운전자들의 편의와 이동 경로를 따라 발전했기 때문에 사이공의 소비자 시장과 일반 시민 문화를 이해하는 데 이런 경험이 큰 도움이 된다. 주재원으로 들어와 기사가 운전하는 승용차로만 출퇴근하다가 오토바이를 타게 되면 승용차 안에서는 보이지 않던 것들이 엄청난 양의 정보로 쏟아져 오는 것을 바로 느끼게 된다. 물론 안전을 염려하는 것은 당연하다. 그러나 시내에서 주행해 보면 생각보다 사고 날 일이 드문 환경이라는 것도 금방 깨닫게 된다. 사고는 자신감이 생기고부터 염려해도 된다.

　한동안 일부러 오토바이로 출퇴근을 한 적이 있다. 그리고 3년여의 기간은 주말 내내 오토바이를 타고 사이공의 외곽까지 나가 도시를 경험했다. 여기 베트남 친구들은 내가 사이공의 이곳저곳에 대해 아는 것을 신기해한다. 달리 비결이 있는 것이 아니다. 사이공이 걷기 어려운 도시이니 발품 대신 오토바이품을 팔았을 뿐이다.

사이공 사람들의 통근 거리는 대체로 20~30분 이내인데 그 이상이 되면 멀다고 말한다. 서울에서는 출근 시간 1시간 이내면 일반적이니 별스러울 게 없지만 한번 오토바이를 끌고 출퇴근 시간에 시내를 통과해 보라. 북적대는 오토바이들 말고도 매연, 소음, 그리고 다른 차량의 위협까지, 느끼는 피로감이 보통 아니다. 잠시의 기간이었지만 오토바이로 출퇴근을 하는 동안 나를 아는 이들의 염려는 대단했다. 그러나 목표가 다르지 않은가. 이 기간을 통해 제법 사이공 사람들에 대한 이해가 더하여졌으니 소득은 제대로 거둔 셈이다. 그렇다. 다시 한 번 언급하지만 오토바이는 회사 출근 차량을 이용할 때와는 다른 시각을 제공한다. 관찰자와 대상자의 거리가 느껴지지 않는다. 그래서 오토바이를 타고 보는 풍경들 속에서 쉽게 주인공이 될 수 있다. 물론 가끔씩은 소소한 교통사고의 주인공이 되는 것도 피할 수는 없다. 아주 가끔씩 이지만.

오토바이 길에 제일 밉상인 삼총사가 있어 소개한다. 첫째가 '요리조리쟁이'이다. 그러잖아도 복잡한 길에 속도를 내고 이리저리치고 나가는 친구들, 혹은 신호가 끊겼음에도 부다다다 달려드는 친구들은 가슴을 섬찟하게 만든다. 나는 이런 친구들로 인해 발생하는 사고를 코앞에서 수차례 보아 왔다. 정말 위험하다.

둘째가 '담배쟁이'. 오토바이를 타면서 담배를 피우는 친구들이다. 개인적으로 제일 미워한다. 뒤따라 가다가 그들이 내뿜는 연기가 눈에 들어가거나 털어내는 재에 맞으면 온종일 재수가 없다. 그리고 불이 채 꺼지지 않은 담배를 도로에 그냥 버리는 일도 위험하다. 이런 일들이 빨리 없어졌으면 좋겠다.

셋째가 '수다쟁이'이다. 사이공의 도로 폭이 좁은 건 다 아는데 거길 둘이 사이도 좋게 나란히 오토바이를 타고 가면서 재잘거린다. 뭔 급한 얘기가 그리 많은지 알 수가 없다. 여기에는 남녀불문이다. 또 도로가 막히건 말건 상관없다. 이 친구들은 뒷사람 관계없이 노닥거리는 수다의 달인들이다. 이런 자들을 만나면 어쩔 수 있는가, 급한 사람이 해결해야지. 일단 경적을 두 번 울려주고 추월하는 것 외에 방법이 없다.

기회가 된다면, 아니 억지로라도 기회를 만들어서 승용차에서 내려 오토바이를 탈 일이다. 적어도 일주일에 하루는 그리 해보기를 추천한다. 그들 속에 섞여 아옹다옹하다 보면 어느새 내가 더 이상 이방인이 아님을 알게 된다. 적어도 남의 땅의 한 모퉁일 빌려 살자면 그 정도 노력은 해야 하지 않을까.

"빨리빨리!" 하이바쯩 도로를 뛰어 건너는 행상 아주머니

경기의 규칙

어떤 경기이든 규칙이 있기 마련이다. 같은 조건에서 겨루게 함으로써 공정함을 기하기 위함이다. 골프에는 그에 합당한 규칙이 있고 권투경기에는 그 경기에 적합한 규칙이 있으므로 각각의 선수들은 그 규칙을 익히고 규칙이 제한하는 범위 내에서 경쟁을 하면 될 일이다. 사업도 마찬가지이다. 사업에도 경기와 유사한 규칙들이 있다. 서로의 공정한 경쟁을 유도하기위해 담합을 규제하거나 독과점 방지를 위한 법을 정하기도 한다. 그런데 규칙의 적용이 애매한 경우가 있다. 종목이 다른 선수들이 한 경기를 치를 때이다.

이 글을 읽는 분들 중에는 일본 도쿄에서 치루어진 세기의 경기라 했던 무하마드 알리와 안토니오 이노끼의 경기를 기억하는 분도 있겠다. 알리는 미국의 헤비급 챔피언인 권투 선수였고 이노끼는 일본의 유명한 프로레슬러였다. 1976년 9월의 일이다. 그러나 차려진 밥상만 화려했지 경기는 지루하고 싱거워서 한마디로 밥맛이었다. 결과도 3:3 무승부로 판정이 났다. 나중에 밝혀진 내용이지만 경기를 재미없게 만든 것은 이 경기를 위해 별도로 적용된 규칙 때문이었다고 한다. 시합을 며칠 앞두고 쌍방에 적용된 규칙에 의하면 보다 행동이 자유롭고 전신을 무기로 쓸 수 있던 이노끼에게 상대적으로 많은 제약이 있었다. 던지기 기술이나 태클 기술 등을 사용해서는 안된다는 것이었다. 그리고 상대에게 킥을 날릴 수 있는 것도 바닥에 한쪽 무릎이 닿아 있는 상태에서만 가능하다는 조항도 있었다. 결국 이 경기는 복싱도 레슬링도 아닌 이상한 것이 되어 버렸다. 주먹으로 상대를 쓰러뜨려야 함에도 불구하고 알리는 거리를 유지하기에 바빴고 레슬링 기술을 쓸 수 없던 이노끼는 경기 내내 누운 채로 알리를 상대했으니 말이다. 그런데 이 경기에 전적으로 권투 경기의 룰을 적용하였다면 어떠했을까? 서서 펀치로만 상대를 제압해야 하는 이노끼에게 알리의 턱은 너무나 멀게 느껴질 것이다. 레슬링의 룰을 적용한다면 알리의 몸이 링 밖으로 날려 지는 것은 시간문제이다. 그러니 어느 쪽이 되었든 이 경기는 처음부터 서로 맞지 않는 경기였다. 이상한 규칙이 적용된 것은 그 와중의 고육책일 수밖에 없었다. 그런데 베트남에서 경쟁을 하는 우리에게도 이런 경기의 규칙이 있다.

베트남에 현지법인을 세워 설계 및 감리업무를 수행하는 우리와 같은 기업을 가리키는 베트남어 표현은 'Công ty Tư vấn Thiết kế và Xây dựng'이다. 설계 및 건설 자문이란 의미인데 여기서는 영어로 간단하게 'Consultancy'로 통용된다. 그런데 의미가 불분명하다. 설계회사라 하면 'Architectural Design company'라고 하는 게 분명할 듯한데 어디를 찾아봐도 그와 유사한 표현은 보이지 않는다. 우리나라 기준으로 보면 설계회사가 건설행위를 할 수 있는 것도 이상하다. 그럼 이들이 쓰는 'Consultancy'의 실체가 무엇일까? 짧지 않은 세월을 보내고 나서야 이것을 이해할 수 있었다. 우리는 설계회사라면 설계와 감리지식을 가지고 특정 산업의 분야를 전문적으로 다루는데 반해 베트남에서는 유관업무까지 관계할 수 있도록 폭넓게 허용한다는 얘기였다. 그래서 설계사무소가 건설행위를 할 수도 있고 반대로 건설사가 설계행위를 할 수 있는 것이다. 한국이라면 허용되지 않는 구조이다. 또 총체적인 사업을 자문할 수 있으니 PM(Project Management)이 가능하다. 그러니 한국적인 개념으로 세운 설계사무소는 그 업을 함에 있어 베트남 회사보다 상대적으로 적은 부분을 담당할 수밖에 없다. 어느 경우가 옳다는 것을 따지는 것이 아니다. 다르다는 것을 지적하고 싶은 것이다. 하지만 로마에서는 로마의 법을 따라야 하는 것처럼 베트남에서는 베트남의 관습을 따르는 것이 맞지 않을까 생각해 본다.

경기를 위해 링에 올랐다 치자. 상대인 베트남선수가 왜소해 보이니 한국에서 갈고 닦은 권투 실력을 발휘하기에 부족함이 없을 듯싶다. 1라운드는 탐색전이었다. 잽을 던져 가면서 상대의 반응을 본다. 생각보다 쉽게 풀릴 듯하다. 그럼 2라운드부터는 적극적인 대시를 시작한다. 3라운드에는 장기인 연속 스트레이트 펀치를 상대의 안면에 가격하기 위해 부지런히 상대를 몰아가기 시작한다. 내심 미소가 지어진다. 승기를 잡았다! 이런데 이건 왠걸? 상대를 눕히겠다 작정한 4라운드에 들어서니 갑자기 상대의 무릎이 올라온다. 팔꿈치가 내 등을 찍는다. 이건 반칙 아닌가? 물론 반칙이다. 한국에서는 그렇다. 그러나 베트남에서는 정당하다. 경기의 규칙이 다르기 때문이다.

나는 숙제였던 'Consultancy'의 해석을 이렇게 내렸다. 현지기업으로 지속성을 가지는 것을 목표로 한 우리 회사 같은 경우에 그들과 같은 룰에 따르는 것이 최선의 방법이 될 것은 자명하다. 그것이 상호 간에 공정한 일이다. 그래서 설명한 링에서의 경기와 같은 비유로 성장의 단계를 정리했다. 최초의 탐색기, 그 다음의 성장기, 성장기에는 우리가 가장 잘 하는 것, 스트레이트이면 스트레이트, 어퍼컷이면 어퍼컷을 주무기로 하여 기업을 성장시키는 것이다. 일정 수준이 되어 다른 베트남 회사와 경쟁할 준비가 되었다면? 이제 상대의 링에서 상대의 규칙에 따라 본격적인 경기를 벌일 준비를 하는 것이다. 발을 써야 하면 발을, 팔꿈치를 써야 한다면 팔꿈치를 단련해야 한다. 이것은 미래를 준비하는 방법이기도 하다. 경영학에서는 사업다각화라는 용어로 이를 설명하기도 한다. 나는 경영학을 배우지 않았으니 필드에서 깨달은 링

안의 게임으로 얘기할 수밖에 없다.

 내가 아는 회사 중에 이십여 년 간 본업에 충실해 있다가 몇 년 전 식음업에 뛰어든 회사가 있다. 혹자는 그 회사를 비난한다. 사업이 잘 안 되니 음식장사를 한다는 말이다. 나는 그 회사의 준비과정을 잠시 본 적이 있다. 남들이 말하는 그 음식장사를 위해 약 이 년 간의 준비기간을 거쳤고 정식으로 F&B회사를 만들고 투자신고를 하였다. 직원들은 회사의 직원으로서 소속감을 가지고 일한다. 그럼 단순히 음식을 파는 일이라 말하기 어려워진다. 그 회사 사장의 말을 들어보니 자기들의 본업에 대해 베트남 기업과의 경쟁력에서 밀려날 것이 확실하다는 예측 하에 시작한 사업이었다. 회사로서는 미래의 불확실성에 대한 대비였던 셈이다. 물론 본업을 병행하고 있으니 일종의 사업 다각화라 할 만하다. 나는 그 회사가 베트남에서 치르는 경기의 규칙에 적응하기 위해, 그리고 이겨 나가기 위해 애쓰고 있다고 생각한다. 물론 그가 성공할 지는 또 다른 문제이다.

 우리도 이와 같은 고민을 하고 있다. 과연 이 작은 시장의 규모에서 설계기업으로 지속적인 성장이 가능할까? 낮은 진입장벽으로 우후죽순으로 생겨나는 소규모 회사들과 경쟁이 가능할까? 그것을 이겨 나갔다 해도 낮은 현지 단가와 베트남 대형 기업들과의 경쟁에서 살아남을 수 있을까? 이러한 고민들을 극복하는 방법으로 주목하는 것이 저들과 벌이는 경기의 규칙이다. 지금까지는 한국인 투자자를 중심으로 서비스를 해왔으므로 한국의 룰에서 그리 벗어나지 않아도 되었지만 이제는 다른 경기에 들어가야 한다는 생각을 갖는 것, 그들의 경기에서, 그들의 링에 올라 가, 그들의 룰에 따라 경기를 벌여야 한다는 것이다. 알리와 이노끼의 싸움이 시시하게 종결된 것은 그것이 이벤트였기 때문이다. 우리가 알리라면 글러브를 벗어 던져야 한다. 우리도 무릎을 꿇고 누워서 대항하는 레슬러와 함께 뒹굴 각오를 해야 한다. 여러분이 일하는 곳에서는 어떠한지 궁금하다. 우리에게는 이제 4라운드의 공이 울렸다.

세 가지가 없다

한국에서 베트남에 대한 기대치가 한껏 높아진 탓인지 베트남에 진출을 원하는 회사들의 방문이 최근 들어 잦아졌다. 대부분의 경우에 베트남에서의 건설행위에 대한 내용을 문의하는데 개중에 베트남 사업 진출방식에 대한 자문을 원하는 경우도 있다. 이럴 때 우리 회사의 경험을 말해 주곤 한다. 그런데 듣는 이들이 관심을 두고 재미있어 하는 부분이 있다. 그것이 우리에게 없었던 세 가지이다.

어느 회사나 진출 초기에 생존을 위한 그들만의 전략이 있는 법이다. 우리도 당연히 그러했다. 한국 정림건축의 베트남법인은 그때까지의 설계회사들과 다른 진출방식을 택했다. 베트남에 파트너를 두지 않고 본사가 파견한 단 한 사람으로부터 시작했다. 한국의 본사 지원 없이 자체적인 현지 적응과 성장이 가능할 것인가를 실험했고 민간에서의 네트워크를 만들어내 지속성을 담보하는 것을 목표로 하였다. 이러한 진출 방식은 무모해 보였다. 대부분의 동종업계 회사들이 프로젝트 기반으로 진출하거나 투자자와 동반 진출하여 리스크를 줄이거나 그도 아니라면 베트남 파트너와 손을 잡아 초기 부담을 줄이는 형식을 택하기 때문이다.

그러므로 이런 목표를 달성하기 위해서 특별한 초기 전략이 필요했다. 그것이 삼무(三無) 정책이다. 우리 회사에 세 가지를 두지 않는다는 의미이다. 지금 돌이켜 보니 이 전략은 무모했으나 동시에 지혜로웠다. 또 단지 회사만이 아니라 개인이 함께 성장하는 결과를 이루었다는 것이 입증되었다. 그래서 여기에 그 생각을 공유한다.

다만 우리가 세 가지를 두지 않기로 한 것은 시효를 둔 약속이다. 회사가 성장하고 어느 정도 현지에서 든든한 기반을 쌓았다는 판단이 들었을 때는 이 전략도 수정되어야 하는 것이 당연하다. 이 세 가지는 다름 아니라 브로커, 통역, 승용차이다.

첫째, 브로커(Broker)이다. 브로커란 중개자이다. 한국 사람들은 브로커 하면 부정적인 이미지를 떠올리게 된다. 병역 브로커, 경기조작 브로커 등 온갖 불법적인 일에 이 단어가 따라다녔기 때문이다. 원래 브로커는 가치중립적이며 범죄 행위와는 관련이 없는 단어이다. 증권사 직원도 부동산 중개사도 영어로는 브로커(Stock broker, Real estate broker)이다. 설계업무에도 브로커가 있다. 자기의 인맥과 정보력을 활용하여 기업에 정보를 주거나 업무를 연결하여 주고 그 대가로 일정 몫을 요구하는 것이다. 이런 브로커를 활용하면 성과를 낼 확률이 높다. 그런데 이런 일의 특성은 대체로 사업의 규모가 크다. 사업의 규모가 크다는 것은 일이 장기화될 확률이 높다는 것을 의미한다. 브로커를 활용하면 일을 얻는 데는 유리하지만 불확실성이 증가한다. 우리 같이 초기 설립 사무실에 있어 불확실성의 제거는 실제적인 시장을 판단하는데 유익하다. 중간에 누군가가 끼어들면 상황을 바로 보기가 어려워진다. 그래서 우리 스스로 부딪쳐 시장을 겪어내는 방식을 택했다. 그래야 경험이 내공으로 쌓일 수 있기 때문이다.

둘째가 통역이다. 외국인 회사에서 통역을 채용하는 일은 보편적이다. 소통의 한계가 있으므로 대외 활동이든 내부의 관리이든 통역이 없으면 감수해야 하는 불편이 늘어난다. 그럼에도 불구하고 통역을 두지 않았다. 거기에는 두 가지 이유가 있었다. 하나는 우리가 목표하는 것이 현지화 된 회사이기 때문이었다. 현지화 된 회사라 함은 거하는 그 곳이 중심이 된다는 뜻이다. 그러므로 모든 정책의 중심에는 현지에 대한 이해가 선행되어야 한다. 언어는 소통을 위해서도 필요하지만 언어에는 그 나라 문화의 정수가 녹아 있다. 그러므로 그 나라의 언어를 사용하고 익힌다는 것은 소통뿐 아니라 상대방의 문화에 대한 존중의 직접적인 표현이 된다. 주재원들이 먼저 상대방의 언어에 대해 관심을 가져주고 익히려고 노력하는 것은 현지화를 지향하는 기업에는 필수적인 절차라고 믿는다. 물론 능란하게 언어를 구사하면 좋겠지만 다른 이의 도움을 받지 않고 기본적인 생활을 하는데 무리가 없다면 그 정도로라도 좋다. 또 다른 이유는 현지 직원들과의 벽을 허물기 위해서이다. 통역이 없어지면 간격이 좁아진다. 상대의 온도가 느껴진다. 내가 답답한 만큼 그도 답답하다. 그래서 역설적이게도 일을 하면서 상대에 대한 마음이 쉽게 열린다. 예전에 다른 나라에서 장기간 근무하며 깨달은 나름의 논리이다. 여하튼 통역은 중요하지만 통역으로 인해 잃어버리는 것도 많음을 알아야 한다. 다른 나라에 와서 일한다면 그 나라의 언어를 간단하게 라도 익히는 것이 상대 문화에 대한 존중의 기본적인 자세이다. 그리고 베트남어를 익혀 보라. 직원들과 더불어 더 많은 성장의 기회를 만들어 낼 수 있다.

이제 세 번째인 승용차이다. 여기에서 의아해하는 분들이 있다. 차가 없이 불편해서 어떻게 다녀? 오해하지 마시라. 나는 승용차를 거부하는 것이 아니다. 여기에는 다른 의미가 담겨있다. 베트남에서는 외국인이 승용차를 직접 운전하기 어렵다. 도로 사정도 문제이고 오토바이의 혼잡함은 물론 사고가 났을 때 외국인이라는 점이 약점으로 작용하기도 한다. 그래서 기사를 두게 된다. 문제는 여기서 생긴다. 기사가 똑똑하면 똑똑할수록, 운전을 잘하면 잘할수록 탑승자는 점점 더 기회를 놓친다. 무슨 기회이냐고? 이 도시를 이해할 기회이다. 그래서 나는 호찌민으로 장기 파견 근무를 나온 사람들에게 주말이면 오토바이 타고 이 도시를 돌아보기를 추천한다. 이럼으로써 얻게 되는 효과가 있다. 먼저 오토바이를 타게 되면 이 도시의 사람들과 눈높이가 같아진다. 그들의 시각을 얻게 되므로 사람들의 생활이 보인다. 그리고 오토바이로 헤매다 보면 자연히 길을 익히게 된다. 이것이 도시의 구조와 맥락을 이해하는 첫걸음이 된다. 그러므로 오토바이는 길과 사람들과 역사를 탐구하는 충실한 안내자가 될 수 있다. 이 과정을 통해 비로소 외국인의 시각이 아니라 베트남 사람의 시각으로 주변을 보게 되는 것이다. 그러면 이해의 폭이 넓어진다. 이해가 되면 받아들여지는 것 또한 많아진다.

브로커나 통역이나 승용차나 회사에는 필요하다. 특히 통역이나 승용차가 없어서 겪어야 하는 불편은 많다. 우리도 현재는 이 정책들을 접은 상태이다. 하지만 지금까지 이 세 가지를 두지 않았음으로 인해 우리가 이 도시를 더욱 이해하고 현지화 된 회사를 일군다는 목표에 더욱 가까워졌음을 자신 있게 말할 수 있다. 그래서 베트남으로 진출을 원하는 분들께 자문할 때마다 이 일을 말씀드린다. 불편은 때때로 우리를 성장시킬 수 있다.

칼퇴근을 위한 변명

사이공에서 8년째 일을 하고 있는 S라는 한국 기업의 법인장이 있다. 그도 여타 중견회사 법인장과 다름없이 현지법인을 안정적으로 정착시키겠다는 일념으로 항상 일에 묻혀 사는 사람이다. 그가 내게 들려준, 일과 생활에 대해 다시 생각해 보는 기회가 된 일화이다.

베트남 직원이 물었다.

"법인장님은 왜 그렇게 열심히 일을 하는데요?"

"그거야 미래를 준비하기 위해서이지."

"무슨 미래요?"

"가족과 여유 있고 행복하게 생활하기 위한 미래이지. 그래서 지금은 참고 열심히 일하는 거지. 그러니 여러분도 열심히 일해."

베트남 직원은 이해가 안 된다는 듯 고개를 갸우뚱거렸다. 그러더니 왈,

"가족과 여유 있고 행복하게 사는 일을 왜 지금부터 하면 안 되죠?"

사이공에서 회사를 경영하는 외국인, 특히 한국 사람 가운데는 베트남 직원들이 칼퇴근을 한다고 불만인 경우가 있다. 회사의 일이 밀려있든, 상사가 여전히 자리에 앉아서 일을 하든 말든 관계없이 퇴근한다는 것이 못마땅하다. 칼퇴근은 이기적이고 팀에 융화하지 못하는 부적응자의 전유물인 줄 알았는데 평범한 직원조차 그러니 매일같이 야근을 불사하는 한국인과 달라도 너무 다르다는 것이다.

사이공의 직장인들에게 갖는 또 다른 불만은 회사에 대한 충성심이 없다는 것이다. 회사로의 출근은 정해진 일상일 뿐 회사와 더불어 미래를 고민하지 않는다고 했다. 그러니 다른 회사에서 백 달러만 월급을 올려 줘도 이직한다고 개탄한다. 한마디로 그들은 열심히 일하지 않는다. 자기중심적이고 개인적이다.

S 법인장도 베트남 직원들에 대해 비슷한 불만을 갖고 있었다. 그런데, 직원과의 우연한 대화를 통해 지금껏 당연하다고 생각해 왔던 것들에 의문들을 가졌다고 한다. 왜 지금부터 그렇게 살면 안 될까?

우리는 왜 일을 할까? 여유로운 삶의 기준은 뭘까? 회사에의 충성심이라는 것이 무엇일까? 그 충성의 대가를 우리는 충분히 받고 있었을까? 회사와 더불어 고민하는 미래라는 것의 실체는 또 무엇일까? 자신과 가족의 희생의 더미 위에 올라가 성취할 미래는 그만큼의 가치가 있을까? 어쩌면 우리는 가족과의 행복한 미래의 시간을 위한다며 가족과의 행복한 현재의 시간을 희생하는 비논리성에 빠져 사는 것은 아닐까? 그것이 행복한 거라고 자신에게 최면을 걸어가면서 말이다.

정작 직장인으로서 우리의 살아온 길을 의심하면서도 그런 삶을 살아가라고 베트남의 직원들에게 요구한다면 그것은 우리의 목적을 달성하기 위해 그들의 희생을 미래의 안락한 삶이라는 이름으로 포장해 속이고 있는 것이나 다름없다. 회사의 발전이 너와 네 가족의 행복을 위한 거라고, 회사가 너의 삶을 보장해 줄 거라고, 너의 미래를 회사에 맡기라고, 우리도 동의하지 않았고 단지 버릇처럼 살았을 뿐인 직장인으로서의 삶의 방식을 이들에게 강요하는 셈이다.

그런데 그들은, 젊고 현명한 이 땅의 그들은 이미 깨닫고 있다. 회사에 남아있기보다 칼퇴근을 택하고, 백 달러에 이직을 결정할 수 있을 정도로 기준이 뚜렷한, 자신의 삶을 즐기고 싶어 하는 그들은 이렇게 말한다.

"우린 지금부터 그렇게 할래요."

그들은 또 이렇게 말할지 모른다.

"당신 눈에 덜 여유로워 보여도 우리는 이미 가족과 친구들과 더불어 행복할 충분한 여유를 갖고 있어요."

사람의 욕심은 끝이 없다. 그것을 멈추게 하는 브레이크가 '자족(自

足)'이다. 스스로 만족하는 사람은 비록 적은 것을 갖고도 행복해질 수 있다. 어떤 분은 이런 논리에 반대할지도 모른다. 베트남 직원들의 사고가 틀렸다고 반박할 수도 있다. 그러나 분명한 것은 그들이 예의가 없거나 회사에서의 비전에 대해 생각이 없어 칼퇴근하거나 이직하는 것은 아니라고 그들을 변명해 말하고 싶다. 그들은 그들의 문화와 관습 아래에서 충분히 예의 있고 그들의 미래에 대해 고민한다. 그들은 그들 자신의 삶에 보다 더 관심이 있을 뿐이다. 그러니 그들을 판단하는 우리의 생각이 먼저 바뀌어야 한다. 생각해 보니 내겐 내세울 만한 취미가 없다. 회사와 더불어 살아온 인생이니 개인의 취미를 가질 여유가 없었다. 이제 정년이 코앞인데도 불구하고 말이다. 이제야말로 정말 내 시간을 쓰는 방법을 배워야 하는데.

S 법인장은 곧 퇴직을 결심할 것이라고 한다. 뭘 하고 살 거냐고 물었더니 가족과 행복하게 살 거라고 한다. 나는 퇴직 후에 무슨 일을 할 거냐고 물었는데 우문현답이었다. 그는 이미 길을 발견한 듯하다.

그러면서도 나는 오늘도 야근거리를 주섬주섬 챙겨 집으로 간다. 알면서도 자기 인생을 즐기는 방법을 익히지 못한 이의 비애라고나 할까.

도로 묵이야

얼마 전 직원들을 교육하느라 분주한 젊은 후배와 자리를 했다. 그가 속한 한국의 회사는 컴퓨터그래픽(CG)과 첨단가상현실시스템(VR) 분야의 전문 회사인데 올해 초 사이공에 진출하였다. 후배는 새로운 도전을 위해 자청하여 낯선 타국에서 업무를 시작하게 되었다고 한다. 그는 지난 십 개월 남짓한 기간 동안 시장조사를 하고 직원을 뽑고 실무를 훈련시키기에 여념이 없었다. 관련 업무에 있어 양국이 작업의 속도나 프로그램의 활용성, 그리고 목표한 완성도를 달성해 나가는 방법에 차이가 있어 이를 이해시키고 부족한 부분의 실력을 향상시키는 것이 목표라고 했다. 베트남 직원들은 어때? 묻는 내게 그가 답을 했다.

"생각보다 빠르게 습득해요. 기대가 많이 되지요. 문제는 우리가 기술을 전수하는 방법이에요."

그의 말을 들으면서 나는 거꾸로 그런 시각을 가지고 있는 그에게 기대가 되었다. 그의 긍정적인 평가는 물론 그의 업무가 가진 특성 때문일 수도 있겠다. 전문영역이기에 예닐곱 명의 소수 인력으로 초기 사업이 가능하므로 직원들 하나하나를 긴밀한 관계로 대할 수 있고, 한국의 본사가 다그치지 않고 충분히 시간을 배려한 것도 긍정적 판단의 이유가 될 수 있다. 그런데 같은 조건일지라도 모든 사람이 후배와 같은 기대를 가지는 것은 아니다. 그는 직원들의 작업을 하나하나 챙기고 툴(Tool)의 사용법과 작업 기술을 가르쳤다. 만일 처음부터 다수의 직원들을 두어야 했다면 이런 세세한 교육의 방식은 적합치 않았을지도 모른다. 옆에서 지켜보니 그가 가르치는 방식은 형이 아우를 대하는 듯한 분위기를 가지고 있다. 그렇다고 멍청한 놈, 이것도 몰라 하는 식으로 대하는 친근한(?) 형제애를 말하는 게 아니다. 그는 이곳에서의 훈련 과정과 일정 일체에 대해 권한을 가지고 있다 한다. 그러니 대부분 빠른 성과를 내기를 바라는 본사의 은근한 압력에 조급해지기 마련인데 처음부터 일 년 이상은 투입해야 한다고 생각했다고 하니 그것 자체로도 큰 힘을 얻은 셈이다. 지금 와서는 예상했던 시간보다 빨리, 그리고 회사의 기대보다 더 큰 영역을 감당할 수 있을 것이란 생각에 초기 계획을 수정한다 하니 특별한 경우가 아닐수 없다. 그런데 무엇보다 그를 특별하게 느낀 것은 대화 중에 엿보이는 그의 애정 때문이었다. 그는 자기 직원들을 아낀다. 불과몇 개월이 지나지 않았음에도 직원들과 그의 사이에 연결된 끈이만져진다. 무엇인가를 누구에게 전수할 때 가장 근본은 상대에 대한 사랑이라고 생각한다. 오해는 마시라. 그는 바람둥이가 아니다. 보편적인 인간에 대한 사랑을 말하는 것이다. 이런 사랑의 마음에서 배려가 나오고 존중의 태도가 생긴다. 좋은 선생은 자기가 가르치는 아이들이 재능으로 넘친다고 자랑한다. 그들을 즐거워하고 더 가르쳐 주고 싶은 열정을 갖는다. 사랑하기 때문이다. 어느 회사를 가도 유행처럼 우리 회사는 사람을 중요하게 여겨 하고 말한다. 그게 사랑이다. 그런데 정말 사람을 귀히 여기는 회사는 드물다. 클라이언트는 귀히 여겨도 자기 직원은 그 반도 고려하지 않는 게 실상이라면 지나친 말일까? 내가 후배에게 기대를 갖는 것이 그런 이유이다. 그는 직원을 귀히 여긴다.

 유교주의 문화와 사회주의 체제의 속성을 동시에 갖고 있는 베트남 사람들에게 그의 접근 방식은 좋은 방법일 것이다. 마을 중심으로 발달한 베트남 유교문화가 사회주의 체제를 만났을 때 대가족 형태를 취하면서도 수평적이고 친근하며 느슨한 위계의 질서로 발전된 것처럼 그의 방식은 회사를 '베트남적(的)'으로 정착시킬 것으로 보인다. 물론 여기 온 처음부터 모든 게 좋았을 리는 없다. 그는 틈나면 직원 개개인과 인근 카페에서 차 한 잔을 나눈다고 한다. 많은 대화를 통해 직원들을 먼저 이해하고자 한 이런 노력은 높이 평가되어야 한다. 직원들에게 물어보니 그는 친근한 사람으로 통했다. 그는 여기 사람들과 일하는데 자질이 있다는 내 말에 멋 적어 하며 자신의 이야기를 들려줬다.
 "저는 군대를 해병대로 지원해 다녀왔어요. 해병대에 뜻을 두어서가 아니고 친구들 분위기에 휩쓸려 어어 하다 입대하게 되었죠. 그냥 생각하기 전에 행동했어요. 그런 중요한 일조차 그랬죠. 또 욱하는 성격이 강해서 분을 잘 냈어요. 사회생활을 할 때 제일 힘들었던 것이 화를 참는 것일 정도였으니까요. 화를 참으니까 눈물이 나는 거예요. 해병대까지 갔다 온 사람이 얼마나 참으면 눈물이 났겠어요."

그 때 그의 곁에 같은 직장에 다니던 한 선배가 있었다. 선배는 그의 분노 섞인 말과 눈물을 들어주었고 다독였고 그리고 참을 수 있도록 잡아 주었다고 한다. 그 방법이 대화였다.

"그때를 겪으면서 생각했어요. 우리 일을 하는 다른 이들도 마찬가지일 거라고. 매일 시간에 쫓겨야 하는 부담감, 낮과 밤이 바뀐 생활, 그렇다 해도 큰 칭찬을 듣지 못하는 일이 우리 업무인데 젊은 그들은 자기를 과시하고 싶어도, 자유롭고 싶어도, 그럴 수 없다는 것을 알 때마다 얼마나 울분을 터트리겠어요. 그럴 때마다 혼자 술잔을 기울이고 회사와 사회를 욕하고 그리고 울겠지요. 저처럼 말이에요. 그런데 여기 직원들을 만나면서 그들에게서 제 젊은 시절 모습을 보았어요. 여기는 외국이잖아요. 우리 직원들이 고민이 생겨도 어떻게 저에게 자기 마음을 꺼내 놓겠어요? 울분에 그냥 나가버리겠지요. 그래서 제가 먼저 이야기하는 거예요."

그에게는 내게 십 년의 경험이 있다 한들 해 줄 이야기가 없다. 그래도 사족 같은 조언을 건네 주었다. 그가 기대할 만한 사람이라고 믿었기 때문이다. 그것이 '밸런스'다. 그는 지금의 길을 끝까지 갈 것이다. 실망스러운 상황이 벌어져도 그리 할 것이다. 그는 이미 사람을 키우는 투자가 자본의 투자보다 어렵다는 것을 깨닫고 있다. 본인 스스로의 경험을 통해서 그러하다. 그리고 마음을 나누고 공감하는 것이 기본임을 이해한다. 그러나 나는 그의 이러한 마음이 과도하지 말기를 바란다. 여기서 걸려 넘어지는 사람이 의외로 많다. 나누되 넘치지 말아야 한다. 공감하되 경계가 있어야 한다. 사랑도 관심도 돈도 그렇다. 여기가 베트남이기 때문인 것은 그 외적 이유이다. 우리가 아무리 아는 것처럼 보여도 우리에게는 부정할 수 없는 한계가 있다. 이것이 내적 이유이다. 그러므로 뜨겁게 사랑하되, 차가운 정신으로 대해야 한다. 우리는 모두 이 땅에서 성공하고 싶어 한다. 그도 같은 열망이 있을 것이다. 그러니 밸런스, 사람을 다루는 일에 균형을 잃게 되면 어느 것도 취하기 어려운 상황이 올 수도 있음을 내 훌륭한 후배가 깨달아 주기를 바란다.

한국에서는 '말짱 도로 묵'이라는 얘기가 있다. 조선시대 선조 임금이 임진왜란 때 피란을 갔는데, 마을 백성이 반찬으로 생선을 올렸다. 그 생선이 맛이 매우 좋아 이름을 물으니 '묵'이라 대답했다. 임금은 맛이 훌륭했던 이 물고기의 배가 은빛으로 빛나므로 '은어'라 부르게 했다. 그런데 전쟁이 끝나고 그 맛을 잊을 수 없던 임금이 다시 은어를 찾았는데, 예전과 달리 맛이 없었다. 그래서 명하기를 "도로 묵이라 하라"고 했다고 해서 원래 이름이 묵이 아닌 '도로묵'이 되었다. 한국에서는 이 일에 빗대어 수고를 했는데 아무 성과가 없이 헛수고로 끝났을 때 말짱 도로 묵이라 한다. 그러므로 자네, 균형을 잃으면 모든 것이 도로 묵이란 것을 잊으면 안 되네.

얘가 바로 도로묵이야

진짜들의 관계

해외에서 무엇인가를 하려 하면 사람들과 어떻게 관계를 맺어야 하는지가 몹시 중요하다. 현지에서 어떤 사람을 만나느냐에 따라 사업도, 생활도 길이 달라질 수 있다. 거기에는 한국 사람도 있고 베트남 사람도 있다. 그 속에서 관계를 형성하며 사람을 만나는 일에 대해 몇 가지 개인적인 생각을 나누려 한다. 그것들을 뭉뚱그려 '진짜들의 관계'라고 얘기하자.

사이공에 들어와 사업을 하려 하는 초기에는 현지에서 풍부한 경험을 가진 좋은 사람을 만나 경험을 듣고, 그와 관계된 사람들을 통해 현지의 사람들과 알아 가고, 그러면서 전문적인 영역에서 일하는 사람들의 지원을 받는 것이 정석이다. 그러는 가운데 자신의 계획을 보완하고 실행력을 얻게 된다.

그런데 이런 절차를 알면서도 다른 길로 가는 사람들이 많다. 이런 경우에 첫째는 귀의 훈련이 되어 있지 않아서이다. 훈련이 되어 있지 않으면 듣는 정보를 분별해 낼 수가 없다. 듣는 것마다 그럴싸하니 정보를 쫓아다니기에 바쁘다. 그런데 대부분 그런 정보는 현지에서 구르고 굴러다닌 정보이다. 사이공에는 이런 경우가 비일비재하다. 듣는 일로만 사람과 정황을 판단하는 것같이 미련한 일이 없다는 것을 경험으로써 배운다면 때가 늦는다. 사이공에 와서 무언가를 해보려 하면 그 일에 '정통한 사람'을 만나는 것이 지름길이다. 문제는 정통한 사람을 만나지 않고 다른 곳에서 문을 두드린다는 데 있다. 이런 현상이 생기는 가장 근본적인 이유는 공짜로 얻으려 하기 때문이다. 정통한 정보를 가진 사람들은 그 정보를 다루는 '그 자리'에 있기 마련이다. 현지의 법을 아는 사람은 법률사무소에 있고, 회계의 전문가는 회계사무소에 있으며, 건축의 전문가는 건축사무소에 있다. 그들로부터 전문적인 정보를 제공받으려면 지출이 따라야 한다. 너무나 당연한 논리이다. 그런데 양질의 필요한 정보를 그냥 얻으려 하니 듣는 정보는 일반적이고 그나마 거리에서 만나는 풍문 수준이다. '싸게' 또는 '공짜'로 알려 준다고 말하는 전문가는 전문가가 아니다. 당신의 성공에 편승하고자 기대하는 또 다른 승냥이일 뿐이다. 진짜 전문가의 좋은 정보는 값이 나간다는 점을 기억해야 한다. 싸구려 정보는 시장통에서 돌아다니는 것이 당연하고 그래서 얻는 거짓 정보는 사람을 상하게도 한다.

　마음이 바쁜 사람들이 쉽게 무언가를 얻으려 할 때 그들을 현혹하는 가짜들이 가장 많이 하는 이야기가 "내가 그 사람을 좀 알지" 하는 말이다. 10군 공안 국장이 내 동생이고, 자기가 소개하는 베트남 사람이 수상의 딸의 친구와 아는 사람이니 걱정 말라고 한다. 인민위원회 투자기획국 국장을 잘 아니 투자절차에 대해서도 염려 말고 돈만 준비하라고 충고한다. 그러면서 국장과 함박웃음을 지으며 찍은 사진을 증거로 보여준다. 믿음직스럽다. 그런데 그런 사진을 들고 있는 한국인은 삼백육십오 명도 넘는다. 아마 투자기획국장은 한국인 누구와 사진을 찍었는지조차 기억 못 할 것이다. 투자 유치가 그의 업무니까 그렇다. 술 한 번 같이 먹었다고 친구가 된다면 이 세상에서 친구 만드는 일이 가장 쉬울 것이다. 그렇게 쉽게 얻는 진짜 친구는 없다.

　사업을 진행하면서도 '진짜'를 가려내어 만나야 한다. 진짜들은 베트남에서 실력 있는 다른 '진짜'들과 관계하기 위해서 '시간'이 필요하다는 것을 안다. 대부분 이런 사람들은 업무를 통해 서로를 알게 되고, 업무를 풀어가는 과정을 통해 신뢰를 쌓아 가며, 그 사이에 생긴 호감을 인간적인 관계로 발전시켜 간다. 돈이나 선물이 아니라 시간이 그들의 관계를 검증하고 보증한다. 그런 진짜 한국인과 진짜 사이공 사람과의 관계 또한 적지 않다. 그런 사람의 특징은 자기 인맥을 자랑하지 않고, 자기가 알고 있는 사람을 다른 이에게 소개할 때도 신중하고 조심스럽다. 서로에게 폐가 되지 않고 도움이 되어야 한다는 것을 먼저 생각하기 때문이다. 이런 사람들의 인간관계에 들어가는 것이 진짜들의 세계에 들어가는 것이다. 조급하면 실패한다.

　베트남 사람 가운데 진짜들은 외부에서만 구할 것이 아니다. 여러분의 주위에도 있다. 아무리 용감하고 똑똑한 사람일지라도 남의 나라에서는 혼자 살 수 없다. 혼자 해결할 수 있는 일에 한계가 있음을 하루에도 몇 번씩 경험한다. 우리는 이곳 사람들의 도움을 필요로 한다. 그렇기에 좋은 인간관계를 만드는 것, 진짜와 관계하는 것은 해외에서 성공할 수 있는 열쇠를 쥐는 것과 같다. 사이공에서 회사에 다니고 있고 그 회사에 수십 명의 베트남 사람들이 근무하고 있다면 대단한 기회를 가진 것으로 생각해야 한다. 열쇠를 가질 기회이다. 서로 간에 진짜를 발견하고 진짜가 될 수 있는 기회이다. 그런데 함께 일하는 그들을 동료로 보지 않고, 관심도 없으며, 업무지시 외에는 아무런 인간관계도 갖지 않는다면 그건 처음부터 기회를 포기하는 것과 같다. 실제로 좋은 회사의 법인장으로 십여 년을 근무한 사람이 자기를 수족같이 따르는 베트남 부하직원 한 사람 곁에 두고 있지 못하고, 조용하게 술 한 잔 나눌 베트남 친구 한 사람이 없다면 아무리 회사의 실적이 좋아도 그는 실패한 사람이라고 해야 한다. 그가 힘이 있을 때는 모두가 친구이고 동생이지만, 진정한 관계로 발전하지 못한다면 그의 배경이 사라질 때 그의 곁에 있던 수많은 이들도 사라지는 것이 아픈 진실이다. 그 스스로가 먼저 '진짜'가 되지 못했음이다.

그런데 진짜가 되고자 하는 한국 사람들이 잘 다스려야 할 것이 있다. '정(情)'이라는 것이다. 가게에 부리던 점원이 갑자기 나간다고 하면 속이 상한다. 그것도 며칠 뒤 바로 퇴직한다 하여 대체할 사람을 구할 말미도 주지 않을 때는 섭섭하기 그지없다. 그럴 때 사람들을 붙잡고 하게 되는 얘기가 '지금까지 얼마나 잘해줬는데 그렇게 갈 수 있냐' 이다. 직원들과 함께 그런 사례에 대해 얘기를 나눈 적이 있다. 그들은 이렇게 대답한다.

"일을 그만두는 건 쉬운 결정이 아니지요. 그리고 그만둔다고 말해놓고 두 주일씩, 세 주일씩 더 남아 있으면 미안하기도 하고 서로 간에 좋지 않다고 생각해요. 그만둔다고 했으면 빨리 옮기는 게 낫죠. 그리고 좋은 주인에게 일수록 그만둔다고 말하기는 어려워요. 때를 잘 택해 얘기하려다 날짜가 미뤄지고 결국 뒤늦게 얘기하는 게 되니까 이것이 주인의 마음을 상하게 하는 거지요."

한국 사람도 정이 많지만 사이공 사람들도 정이 많다. 아무리 고용계약 관계로 이루어졌어도 좋은 사람들 사이에서는 정이 생긴다. 그런데 양자 간에 정을 풀어내는 방식이 다르다. 관계의 문제는 여기서 생긴다. 한국 사람들의 경우에는 정을 베푸는 방식이 자기중심적이고 일방으로 이루어지는 편이다. 그리고 표현 자체가 극단적이다. 그러다 보니 받아들이는 상대의 감정이나 상황을 헤아리기도 전에 말이 앞선다. '내가 생각하기에 이렇게 해주는 게 최고이니 앞으로 잘 되면 이렇게 해줄게'라는 것이다. 이 표현에는 그렇게 해 줄 때까지 '네가 참고 버텨야지'라는 요청이 암묵적으로 전제된다. 또는 '지금 최선을 다해서 잘 해주고 있으니 딴 생각하지 마'라는 압력이 숨어 있다. 사실 나도 겪어 보았지만 잘

해 주겠다는 말의 약속 같이 못 믿을 게 없다. 더군다나 우리의 약속은 상대방에게 언제 떠날지 모르는 외국인이 한 약속으로 비치니 신빙성이 떨어진다. 회사도 마찬가지이다. 그러므로 '네가 우리 회사에서 열심히 일하면 좋은 일이 있을 거야'라는 말 대신에 어떤 좋은 일이 있는지에 대해 단계적이고 구체적인 청사진을 제시해야 한다. 그리고 작은 것부터 약속을 지켜나가는 모습을 보여 주어야 한다. 그럴 때 직원이 어떻게 반응하는지를 보아가며 그 직원의 품성도 알게 된다. 신뢰는 이런 과정을 거쳐 상호 간에 쌓아 가는 것이다. 우리의 경험에 의하면 회사의 청사진이 제시되고 그 안에서 신뢰를 쌓아 가는 관계가 형성된 회사에서는 백 달러의 급여 상승을 가지고 회사를 옮기는 일은 벌어지지 않는다. 대개는 백 달러만큼도 그들 간의 관계에 비전을 보여 주고 있지 않아서 벌어지는 일이다. 진짜 관계는 넘치는 정이 아니라 냉정함을 바닥에 깐 균형감에서 시작된다. 서로의 수준과 실력을 알아보고 나서 인간의 됨됨이로 넘어가는 것이다. 베트남 직원을 아끼는가? 그들의 성장에 관심 있나? 그렇다면 먼저 당신이 감추고 있는 큰 그림을 공유해야 한다. 그리고 그들에게 당신이 아낀다는 것을 계획과 실행으로써 보여 줘라. 그것을 그들이 분명히 인식하게 하고 그들의 협조를 '요청'해야 한다. 그들은 당신의 '진짜'가 될 것이다.

진짜들의 관계는 그런 것이다. 사업을 위해 사이공에 도착했다면 먼저 진짜가 누구인지 찾아라. 시장을 돌아다니며 거리의 정보를 줍지 말라. 찌라시는 소문만 만들어 낼 뿐이다. 그것을 위해 돈을 아끼는 이는 바보이다. 사이공에서 이미 사업을 시작했다면 우리가 진짜가 되어야 한다. 또 내가 관계하고 있는 모든 인연 속에서 진짜를 찾아야 한다. 여기에는 시간이 필요하다. 그리고 내가 속해 있는 조직 안에서 진짜를 키워내야 한다. 우리는 낯선 땅에서 낯선 이들과 더불어 살아간다. '낯선'이라는 단어는 불신과 경계를 기본으로 하는 말이다. 그것을 해소해 나가는 과정이 좋은 인간관계를 맺어가는 과정이다. 무조건 일방적으로 주는 것, 정으로 먼저 대하는 것, 이런 것들은 빨리 버려야 사이공에서 베트남 사람들과 좋은 인간관계를 맺으며 행복하게 살 수 있다. '정'은 냉정함으로 다듬을 때 빛이 난다. 그것이 균형감이다. 그리고 사람을 키우자. 누군가 검은 머리 가진 동물은 키우는 게 아니라 했는데 하나만 알고 구십구를 모르는 사람이다. 하나를 들여 둘을 얻고자 하는 투자공식은 사람에게 적용되지 않는다. 사람에게의 투자는 열을 들여 아홉을 잃고 하나를 얻는 것이며, 그 얻은 하나가 구십구를 만드는 길이 되는 일이다. 그것이 진짜들의 방정식이다.

열정은 감동을 부른다

  한동안 한국국제협력단에서 건축분야 전문가로 활동한 적이 있었다. 한국국제협력단은 외교부 산하의 정부출연기관으로 우리나라의 대외 무상원조와 기술협력을 집행하는 실행기관이다. 이 기관은 코이카(KOICA)라는 이름으로 더 잘 알려져 있다. 이 활동을 통해 나는 파견지에서 코이카의 공적개발원조사업 건축분야의 사전조사와 실시조사 업무를 수행하는 역할을 하였다.

  그간 조사단으로 협력했던 여러 프로젝트 가운데 가장 기억에 남는 프로젝트가 무엇이냐 묻는다면 나는 수단의 알아자리(Al Zaeim Al Azhari) 국립대학 내의 IT 및 어학센터 구축사업 원조평가를 첫 손에 꼽기에 주저하지 않는다. 아프리카 대륙에서 방문했던 첫 나라, 나일 강과 사막을 경험했던 특별한 기억 때문에도 그랬지만 무엇보다 그 곳을 잊지 못할 곳으로 만든 것은 거기서 만난 사람들 때문이었다. 파견 조사는 두 차례에 걸쳐 이루어졌다. 그리고 첫 방문 때에는 남수단이 독립하기 전으로 다르푸르 사태가 막 진정 국면에 접어들 무렵이었으니 설명하기 어려운 긴장감이 나라를 온통 감싸고 있었다.

  알아자리 대학은 수단에서 5번째로 인증 받은 국립 대학교로 수도 하르툼(Khartoum)에 위치하고 있었다. 이 대학은 1990년에 개인이 설립하였는데 1993년에 국립대학이 된 후 괄목할 만한 성장을 하였다. 우리가 방문하기 몇 년 전만해도 5개 단과대학에 불과했던 이 대학교는 15개 단과대학을 거느리는 규모를 성장했다. 그리고 당시에 새로이 신규 캠퍼스 부지를 확보하여 제2, 제3의 도약을 꿈꾸고 있었다. 그런데 놀랍게도 이 모든 변화는 리더 한 사람의 열정으로부터 시작되었다고 한다.

대개 조사단은 첫 번째 공식회의를 통해 50%는 업무의 성패를 예측한다. 수원국, 즉 원조를 받는 국가와 기관 측에서 어떤 준비를 했고 어떤 자세로 조사에 응하느냐가 중요한데 성격적으로 대외 무상원조였기 때문에 의례적이고 안이한 태도로 대응하는 경우도 있다. 공짜로, 값없이 주는 것일수록 귀함이 덜하다고 느끼기 때문인지도 모른다. 그런데 알아자리 대학의 준비와 자세는 일반적인 수준을 넘어서는 이례적인 것이어서 우리를 놀라게 했다. 우리가 사전에 요청한 체크리스트에 대해 담당 교수를 지정하여 자료와 답변을 성실하게 준비했음은 물론 우리의 이해를 돕기 위한 프레젠테이션과 외부 기관과의 미팅 준비까지 완벽하게 정리해 두었기 때문이다. 첫 회의에서 일정계획에 대한 브리핑을 받는 것만으로 이번 프로젝트에 대한 대학 측의 수원 의지를 읽는 데 충분했다. 아니나 다를까 실제 협의가 진행되자 그들이 준비한 내용은 기대 이상이었고, 모든 관련 교수와 엔지니어들은 우리가 가진 거의 모든 질의사항에 대한 답변을 가지고 있었으며, 성실함으로 협의에 임했다. 그런고로 첫날부터 점심시간도 잊은 채 열띤 협의를 하던 참이었다. 총장이 박수소리로 일행을 집중하게 하였다.

알아자리 대학 첫 회의에서의 점심식사는 그간의 수많은 평가회의 중에서도 특이한 경험이 되었다. 바로 알리 총장 때문이다. 그는 회의실로 들어와 일일이 진행사항을 묻고는 구석자리에 앉더니 박수소리로 일행의 관심을 향하게 하고는 우리에게 점심을 같이 하자고 양해를 구했다. 여기까지는 통상적이다. 그런 후에 함께 외부에 나가 식사를 하게 마련이다. 그런데 알리 총장은 움직일 생각을 하지 않았다. 그리고 그의 손짓에 따라 문이 열리더니 학교 직원들이 비닐봉지에 담아 온 것들을 펼치기 시작했다. 세상에! 점심식사가 배달되어 온 것이다.

스티로폼 박스에 담긴 간소한 점심은 우리를 당혹스럽게 했다. 그러나 총장 이하 교수들과 모두 함께 도시락으로 시간을 절감한 우리는 첫 날임에도 상당한 성과를 거둘 수 있었다. 또 비록 하루의 회의였지만 깊이 있는 논의를 하며 머리를 맞댄 교수들과 조사단은 금방 막역한 사이처럼 되었다. 총장 역시 늦은 시간이 되어 우리가 일을 마칠 때까지 자리 한번 뜨지 않고 모두와 함께 했다. 이런 강행군 일정이 일주일 간의 조사 기간 내내 계속되었다. 그 정도를 가지고 무얼 그러냐 한다면 모르고 하는 말씀이다. 수단 사람들은 9시 출근해서 10시에 회사에서 조식을 먹는다. 그리고는 차와 더불어 휴식시간을 갖고, 오후 2시에 중식을 먹고 다시 휴식한다. 그럼 일은 오후 늦게부터 하느냐고? 아니다. 오후 4시가 되면 퇴근을 해야 한다. 이것이 일상이다. 그러니 이런 상황은 이례적일 뿐 아니라 사건이라 할 만하다. 어떻게 이런 일이 가능했을까? 달리 이유가 없다. 총장 때문이다. 그는 첫 날부터 시작해서 원조 협약서에 서명하는 마지막 시간까지 자리를 지키고 앉아 직접 일을 챙기고 관심을 기울이며 실제로 이 협의 팀을 진두지휘했다. 그런 상황에서 어느 간 큰 교수가 빈둥거릴 수가 있겠는가? 덕분에 우리는 짧은 기간 내에 풍부한 자료와 더불어 협의 결과를 도출해 낼 수 있었다.

알리 엘 샤예드 총장은 대단히 매너가 좋은 사람이었다. 부드러운 미소를 지니고 있는, 전혀 강한 카리스마가 드러내지 않음에도 좌중을 압도하는 사람이다. 그는 함께 사진을 찍을 때면 가장자리로 물러선다. 배달 도시락을 시켜 우리와 함께 먹는 소탈함이 있는 반면, 알 아자리 대학의 비전을 말할 때는 열변을 토한다. 그러면서도 이번 사업이 성사되지 못할 가능성에 대해 우려하며 넌지시 우리의 의사를 타진하는 조심스러운 사람이었다. 그는 귀국 준비로 공항 대기실에서 기다리는 우리를 만나기 위해 하얀 예복을 입고 찾아와 마지막까지 전송했다. 그는 겸손한 카리스마를 가진, 최선을 다하는 열정의 사람으로 우리의 기억 속에 각인되었다.

단과대를 지금 규모로 확장시킨 것은 그의 의지였다고 한다. 학생들에게 배움이 없다면 미래도 없다는 것이 이유였다. 그는 중국의 원조자금을 끌어들여 대학 도서관을 세웠고, 이제 우리를 감동시켜 IT센터를 세우려고 했다. 대학을 최고로 만들고 더 많은 청년들에게 교육의 기회를 주겠다는 그의 열정은 조사 기간 내내 우리를 한 시도 쉬지 못하게 했다. 짧은 일정 동안 우리와 더불어 하르툼 시장을 만났고, 주지사를 만났고, 그들 앞에서 우리의 염려를 불식시키기 위해 정부 관계자에게 난점들을 직접 질문하고 확답을 받았다. 그는 발로 뛰며 일했던 사람이었다.

한국에서 온 조사단을 설득하여 IT센터를 세우고자 하는 그의 열망은 결과적으로 성공했다. 이 원조 프로젝트에 대해 조사단 중 아무도 부정적인 견해를 가진 사람이 없었으니까. 오히려 그의 모습은 당시 조사단 모두의 가슴에 깊이 감동으로 자리 잡았다. 지금 알아자리 대학에는 대한민국이 원조한 ITLC센터가 세워져 있다.

한 사람의 리더가 품은 순수한 열정은 다른 이를 감동하게 한다. 설령 문화가 다르고, 언어가 다르다 하여도 마찬가지이다. 이 열정의 비전이 길을 찾으면 용광로와 같은 힘을 낸다. 차이와 차별을 녹여 낸다. 그를 거울로 삼아 나의 비전을 들여 보았다. 내가 가진 비전에는 감동케 하는 힘이 있을까? 베트남에서 박항서 감독을 모르는 사람은 없다. 나는 그 분을 만나 본 적이 없지만 마치 십 수 년 간 알아온 사람처럼 친근하게 여긴다. 그의 열정을 아름답게 생각하기 때문이다. 한국과 베트남에서 그의 리더십을 분석하고 칭송하는 얘기를 많이 들었다. 베트남에서는 파파 리더십이라고 부른다고 한다. 뭐라 해도 맞을 것이다. 그리고 본질은 그가 쏟은 열정의 힘이다. 한 사람의 열정이 얼마나 많은 것을 바꿀 수 있을까? 박항서 감독과 알리 총장은 그런 점에서 닮아 있다. 그리고 그들은 내 질문에 작은 실마리를 던져 주었다.

나와 함께 하는 베트남의 청년들, 젊은 우리 직원들에게 그들의 이야기를 들려주고 싶다. 그들이 이 나라에서 꿈을 가지고 뜨겁게 살아갔으면 좋겠다. 그들이 품는 비전의 열정이 감동을 불러일으키도록 말이다.

이방인으로 사는 법

'디베냐(Đi về nhà)'란 베트남 말로 '집에 가세요'라는 표현이다. 사이공에서 일하는 사람들은 한번은 들었음 직한, 이 표현에 관련된 아주 유명한 일화가 있다.

어느 한국인 사장이 차에서 내려 식당에 들어가면서 베트남 운전기사에게 지시했다.

"너, 디베냐 하지 마라."

사장이 손님과 식사를 마치고 나와 보니 기사가 집으로 가고 없다. 이에 노발대발한 사장, 기사를 자르네 마네 난리를 쳤다. 총무팀을 맡고 있던 한국인 직원이 운전기사에게 물었다.

"사장님이 기다리라는데 왜 그냥 돌아갔어요?" (베트남어이다)

"사장님이 집에 가라고 했어요." (Tổng giám đốc đã nói là em đi về nhà.)

아, 우리의 영민한 총무팀장, 그제야 상황이 어찌 전개되었는지 눈치 챘다. 베트남어를 단어 단위로밖에 하지 못하는 사장이 "너, 디베냐 하지 마라" 하고 한국어와 베트남어를 섞어 말했고 기사는 알아듣지 못하는 한국어는 빼고 '디베냐(đi về nhà)'라는 베트남어만 알아들은 것이다. 누가 잘못한 것일까?

언어는 소통을 위해서 존재한다. 그리고 그 나라의 언어를 익히고 사용하는 것은 소통뿐 아니라 상대방의 문화에 대한 존중의 직접적인 표현이라고 나는 믿는다. 비록 발음을 잘 못해도, 성조가 조금 틀려도, 그들의 언어를 말하려고 노력해야 한다. 그런데 사이공에 살다 보면 언어를 난폭하게 다루는 모습을 종종 본다. 그것은 소통의 대상에게는 물론 상대의 문화에 대해서도 무례한 행위이다. "너, 디베냐 하지 마"라는 표현은 그래서 언어라 할 수 없다. 오히려 언어이기를 포기한 폭력이다. 그리고 그 결과는 우리의 언어와 관계에도 상처로 남는다.

우리가 베트남에서 일하는 것은 엄밀하게 말해 우리의 이익을 위해서이지 베트남 사람들의 이익을 구현해 주기 위한 국제원조 봉사로서가 아니다. 우리의 이익을 찾아가는 가운데 부수적으로 그들의 산업발전과 도시개발에 일조를 할 수는 있다. 그런 우리가 밭으로 삼아 소출을 취하고 있는 베트남에 예의를 갖추는 것은 당연한 일이다. 그들의 관습과 문화를 존중하는 것, 그들의 언어에 대해 관심을 가져주는 것은 그러한 예의의 하나이다.

이런 얘기를 꺼내면, '그렇게 말해도 잘 알아듣기만 하던데' 하고 말하는 이도 있다. 당신에게 그런 기사가 있다면 그런 기사를 채용한 회사에 감사하게 생각해야 한다. 나는 사이공에 있는 기업에서 일하는 승용차 기사들이 참 똑똑하다고 생각한다. 성조를 무시한 조각난 베트남어, 여기에 한국어와 콩글리시까지 3개 어를 섞어 말해도 눈치 빠르게 알아듣는 이가 여럿이다. 심지어 "어…, 잘 기억 안 나지만 이틀 전 갔던 거기"라고 해도 금방 그 장소에 데려다주니 말이다. 그런데도 자기들이 어떻게 말하는지를 먼저 생각하지 않고 상대가 못 알아듣는 것을 탓하는 것은 무례이다.

한국에 노동자로 들어와 업신여김을 받기도 하고 때로는 불법체류로 사회문제를 일으키기도 하는 그들이 주인인 땅이 바로 이곳이다. 여기서 우리는 나그네일 뿐이다. 우리가 아무리 떵떵거리고 자랑해도 이 땅에서는 우리에게 최대 2년밖에 머물 기회를 주지 않는다. 성경에는 그리스도인들을 이 세상의 나그네라고 표현한다. 그렇게 규정함으로써 이 땅의 재물과 영화에서 마음을 떼고 영적인 세계를 소망하며 겸손하게, 다른 이들과 더불어 섬기고 살 수 있게 한다. 우리도 사이공에서 사는 나그네라는 것을 명심할 필요가 있다. 나그네는 그 땅에 지분이 없다. 그러니 지분도 없는 우리가 그들을 향하여 비웃고 손가락질할 때 그보다 수도 없이 더 많은 손가락들이 우리를 향하여 그렇게 한다는 점을 깨달아야 한다. 베트남의 법도 우리를 위하여 있는 것이 아니라 국민인 그들의 안녕과 보호를 최우선으로 하여 존재한다. 그런데 무슨 사건이 났을 때 외국인을 후순위로 둔다고 격분한다. 안타깝지만 그것은 정상이다.

사이공은 이, 삼 일의 출장 일정으로 방문한다면 만족도가 높은 곳이다. 그러나 막상 체류를 시작하면 답답함의 지수가 급격히 늘어간다. 그렇게 친절하던 사이공 사람들의 시간 개념은 모호하고, 함께 일을 해보니 일의 결론은 없다. 직접 챙기지 않는 한 일의 진척에 대한 보고도 없다. 안된 일은 끊임없이 변명한다. 그것도 답답한데 어느 때는 대답도 없이 미소만 짓는다. 이런 일을 겪는 횟수가 늘어나면 화병이 생기기 십상이다. 이때 이방인으로 사는 지혜가 필요하다. 오랜 세월 동안 이 땅의 자연과 환경에 적응하고 체제와 전쟁의 경험을 통해 체득한 그들의 삶의 방식을 열린 마음으로 살펴보아야 한다. 틀린 것이 아니라, 모자란 것이 아니라, 단지 다를 뿐이라는 중요한 인식을 모든 판단에 앞서 새겨야 한다. 흥분하기 전에 깊은 심호흡을 통해 열을 식히고 그들과 같이 미소 짓는 법을 배워야 한다. 그들의 언어를 사용하는 것은 이런 장애를 극복하는데 유효하다. 비록 유창하지 못하고 떠듬거려 얘기해도 이런 노력 가운데 서로의 마음이 열린다. 마음이 열리면 이해가 쉽고, 이해가 되면 길이 보인다. 아무리 투자를 많이 한다 해도 우리는 그들의 땅을 빌려 쓰는 이방인에 불과하다. 먼저 마음을 열고 배우자, 내 답답함을 누르고 그들도 나를 대하며 얼마나 답답할까를 먼저 생각해 보자. 그렇게 해야 사이공에서 이방인으로서 우리의 날이 길다.

하이 파이브

 나는 투수 류현진을 좋아한다. 그가 미국프로야구 메이저리그로 떠났을 때는 몹시 아쉬웠다. 한국프로야구에서 그를 볼 수 없어서가 아니라 일곱 해를 한국에서 선수로 활약하며 2승만 더했으면 100승인데, 그의 등번호 보다 하나 모자란 98승을 거두었다는 것이 안타까웠기 때문이다. 그러나 LA다저스에서의 첫 해와 두 번째 해, 그의 가능성은 놀라웠다. 하지만 곧 부상이 찾아왔고 선수로서의 내구성에 대한 의심의 눈초리가 꽂혔다. 그런 그가 부활했다. 2018부터 심상치 않더니 2019년 그의 활약은 그야말로 리그 최고의 투수라 할만했다. 그 가운데 5월 26일 미국 펜실베이니아주 PNC파크에서 열렸던 피츠버그(Pittsburgh)와의 원정 경기는 내게 큰 기억으로 남은 경기였다. 그는 이 경기에 선발 등판해 6이닝 10피안타 3삼진 2실점으로 시즌 7승째를 거두었다.

 경기 결과로만 보면 썩 잘한 경기였다. 5점 차로 여유롭게 거둔 승리이기도 했다. 그런데 류현진에게 이날 경기는 결코 쉽지 않았다. 그 날은 비가 예고되어 있었지만 하늘을 본 류현진은 경기가 가능할 것으로 보고 예정된 시간부터 몸을 풀기 시작했다. 그러나 예보대로 비가 왔고 경기는 1시간 45분이나 늦게 시작되었다.

그 영향이었을까. 승리의 키였던 제구력이 이전 경기에 비해 무뎌졌다. 안타는 10개나 허용했다.

6회에 위기가 고조되었다. 선두 타자에게 2루타를 맞으면서 불안이 더해졌다. 하지만 그는 이어진 두 명의 타자를 땅볼로 유도하여 잡아냈다. 투 아웃에 주자는 3루 상황이었다. 그리고 등장한 타자가 피츠버그의 엘모어였다. 그의 타구는 크게 포물선을 그리며 펜스까지 날아갔다. 앗! 실점이다! 그런데 외야수 벨린저가 타구를 끝까지 쫓아가더니 펄쩍 뛰며 공을 걷어냈다. 실점 위기를 막은 결정적인 호수비였다. 6경기 연속 퀄리티스타트를 기록하는 순간이기도 했다. 위기를 넘긴 류현진은 7회부터 마운드를 우리아스에게 넘겼고 승리투수 되었다.

카메라에는 류현진이 덕아웃에서 벨린저와 하이파이브를 하는 장면이 잡혔다. 그를 포함한 외야수들의 수비 도움은 그 날의 승리 투수가 된 중요한 배경이었다.

같은 해인 2019년 5월에 한국 영화계에 큰 경사가 있었다. 봉준호 감독의 영화 '기생충'이 제72회 칸 국제영화제에서 황금종려상을 수상한 것이다. 우리나라 영화가 칸 영화제의 대상 격인 황금종려상을 수상한 것은 처음 있는 일로 경쟁 부문에 진출한지 19년 만에 이루어 낸 성과였다. 더구나 그 해는 한국 영화 100주년 기념의 해였다.

프랑스 칸 뤼미에르 대극장에서 제72회 칸국제영화제 폐막식이 열린 가운데 최고 영예인 황금종려상의 주인공으로 호명되며 무대에 오른 봉준호 감독은 수많은 아티스트들이 있었기에 수상이 가능했다며 그들에게 감사를 전했다. 그는 함께 일한 배우들을 위대한 배우라고 표현했다. 그의 수상 인사는 말로만 끝나지 않았다. 배우 송강호를 무대로 불러내어 인사말을 요청했다. 송강호는 인내심과 슬기로움, 열정을 가르쳐 주신 존경하는 대한민국의 모든 배우들께 이 영광을 바치겠다며 소감을 말했다. 기사 말미에는 감독 봉준호가 무릎을 꿇고 배우 송강호에게 자신이 받은 상을 바치는 사진이 실렸다.

매년 6월 초에는 그해의 사업계획에 대해 전반기 실적을 평가하고 계획을 수정한다. 회사 경영이라는 것이 기대를 갖고 새해를 시작하고 위기감으로 한 해의 반환점을 돌며 연말이면 간신히 수지를 맞추고 한숨을 돌린다지만 어쩜 한 해도 틀림없이 그 일을 반복하는지. 그래도 회사가 유지되고 이 어려운 환경과 경쟁 속에서 우리가 거두고 있는 성과가 약간이라도 있다면 그것은 무엇에서 온 것일까?

나는 이 두 기사를 통해 동일한 그림을 보았다. 그것은 야수의 도움 없이 승리할 수 없음을 아는 한 멋진 투수의 모습과 배우들의 열정과 노고 없이 좋은 작품을 만들 수 없음을 아는 또 다른 멋진 감독의 모습이었다. 그 둘은 다른 사람이었지만 같은 가치를 존중하는 사람들이었다.

우리 직원들은 어떨까. 어떤 외국인 관리자들은 베트남 직원들의 생산성이 떨어진다고 하고, 어떤 이는 직원들이 회사에 애정이 없어 관리가 어렵다는 말도 하지만 그런 그들이 없는 회사는 존재하지 않고, 그런 그들이 없이 성과는 거둬지지 않는다는 진실을 어떻게 꿰어내야 할지. 아무리 탁월한 외국인 회사의 사장이, 아무리 훌륭한 해외 본사의 배경을 등에 업고 일한다 해도 외야로 빠지는 공을 끝까지 따라가는 한 사람이 없다면, 화면의 구석을 채우는 대사 없는 단역의 배우가 존재하지 않는다면, 오늘의 성과는 꿈에 불과한 일이 될 것이다. 그 꿈을 이루는 길에 함께한 배우인 그들에게 봉감독처럼 무릎을 꿇어 감사할 것까지는 없더라도 덕아웃에서 하이파이브를 하며 기쁨을 나눌 필요는 있는 일이다.

벨린저와 같은 호수비는 한 팀일 때 빛이 난다. 투수가 한 점을 잃는 것이 아니라 우리 팀이 한 점을 잃는다는 의식이 있을 때 몸을 아끼지 않는 허슬플레이가 나온다. 이런 팀의 경기는 보는 사람을 즐겁게 한다. 이러한 팀 정신은 서로에 대한 신뢰에서 비롯된다. 송강호는 17년을 봉준호 감독과 작업했다. 그것을 믿음을 일구어간 세월이라 부르고 싶다. 그들은 팀이 되어 있었다. 어찌 처음부터 그랬을까? 나도 베트남에 들어온 지 어느덧 12년 차가 되었다. 내게도 믿음으로 키워간 그런 팀이 있는지 돌아볼 때이다. 누군가 그랬다. 도무지 직원들을 믿을 수가 없어요. 아니다. 믿음은 내가 믿는 것이지 상대가 믿을 만한 행동을 보이기에 믿는 것이 아니다. 그래서 세월이 필요하다. 세월은 내가 보여주는 믿음에 진정성을 부여하기 때문이다. 내가 상대를 먼저 믿지 못하는데 그들이 나를 신뢰할 리 없다. 더구나 그들이 볼 때 우리는 언제든 훌쩍 떠날 가능성이 있는 외국인 아닌가.

인생 후반기 경기를 류현진의 피츠버거 경기같이 풀어 내고 싶다. 봉준호 감독처럼 인터뷰하고 싶다. 그 동안 나와 팀이 되어 같은 길을 걸어준 베트남의 모든 직원들과 하이파이브를 하며 감사와 기쁨을 나누는 꿈을 꾸고 싶다.

에필로그

Park tiên sinh sống giữa Sài Gòn

이 책은 'Park tiên sinh sống giữa Sài Gòn' 이라는 제목으로 2021년 NXBT 출판사를 통해 호찌민시에서 베트남어로 출간되었습니다. 하지만 대부분의 내용은 2018년 한국에서 출간된 '몽선생의 서공잡기(西貢雜記)'에 뿌리를 두고 있습니다.

처음 '몽선생의 서공잡기'를 썼을 때만 해도 이런 일이 있으리라고 생각하지 못했습니다. 하지만 사람의 앞일이라는 게 도무지 알 수가 없습니다. 베트남 호찌민시에 이렇게 오래 머물게 될 줄도 몰랐고, 베트남어로 된 책을 출간하리라고는 더더군다나 생각해 본 일이 없었으니 말입니다. 그러나 모든 일이 마치 계획한 듯이 흘러 갈 때가 있습니다. 그리고 그런 일들은 대개 사람들과의 만남을 통해 이루어집니다. 그러므로 이 책은 내용으로도 사람들과 함께 살아가는 이야기이지만 발간된 과정 자체가 사람들과의 관계 속에서 이루어진 살아가는 이야기 자체입니다.

이 책에 대해서의 관계라면 그 중심에 히엔((Hiên) 교수님이 있습니다. '몽선생의 서공잡기'를 읽게 된 그 분은 제게 호찌민시에 사는 외국인으로서 어떻게 베트남 사람과 사회와 문화를 이해하고 있는지 그 경험을 사람들에게 보여줄 필요가 있다고 말했습니다. 그것은 이제 글로벌 세계의 한 일원으로 살아가는 베트남 사람들이 자신을 돌아보는 시각을 갖는데 도움이 될 것이라고 했습니다. 그래서 기존 원고에서 몇몇은 덜어내고 몇몇은 추가하여 내용을 다시 정리하였습니다. 그 후로의 번역과 감수, 출판사 섭외는 모두 그 분의 도움으로 이루어졌습니다. 그 분을 만나지 않았다면, 그 분과 베트남에 대한 관심을 나누는 커피숍의 자리가 없었다면, 그 분이 어떤 경로로 책을 읽지 않았다면 이런 스토리는 이어지지 않았을 것입니다. 사람과의 관계가 이 책이 생명을 얻도록 이끌었습니다.

Một người bán hàng say giấc ngủ trưa trên đường Lê Lợi

모든 일은 사람들과의 관계로 시작됩니다. 그 속에서 부딪히고 섞어들면서 수많은 이야기들이 탄생합니다. 그러므로 제가 사이공에서 머무는 동안 이와 같은 이야기는 끊이지 않을 것입니다. 모쪼록 이 이야기들이 우리가 베트남이라는, 우리와 어느덧 가장 가까운 이웃이 되어버린 나라의 사람들을 이해하고 그들이 또한 우리를 그들의 이웃으로 그렇게 여기게 되기를 이 작은 책 한 권을 빌어 바라마지 않습니다.

2023년, 사이공에서 박띠엔신이라는
새로운 별명을 얻게 된 몽선생이 씁니다.

당신이 몰랐던 진짜 베트남 이야기

몽선생이 전하는 유쾌발랄 베트남 현지 일상 에세이

발행일 2023년 5월 31일

지은이 | 박지훈

펴낸이 | 마형민

기　획 | 윤재연

편　집 | 임수인

펴낸곳 | (주)페스트북

주　소 | 경기도 안양시 안양판교로 20

홈페이지 | festbook.co.kr

ISBN 979-11-6929-272-6 13800

값 25,500원